金苹果童书馆

情商故事

中国儿童成长必读故事

ZHONG GUO ER TONG CHENG ZHANG BI DU GU SHI

北京日报 报业集团
同心出版社

图书在版编目（CIP）数据

情商故事／禹田编写. —北京：同心出版社，2015.5
（金苹果童书馆）
ISBN 978-7-5477-1483-6

Ⅰ.①情… Ⅱ.①禹… Ⅲ.①汉语拼音-儿童读物
Ⅳ.①H125.4

中国版本图书馆 CIP 数据核字（2015）第 055718 号

情商故事

金苹果童书馆

编　　写：禹　田		绘　　画：周春雷　白　菜　曲冬时等		
策　　划：董　明		美术编辑：刘　璐　沈秋阳		
责任编辑：宛振文		封面设计：大　娟　晓　珍		
助理编辑：张　迪		版式设计：沈秋阳		
特约编辑：张　远　叶　静		内文设计：王　辉		

出　　版：同心出版社
地　　址：北京市东城区东单三条 8-16 号　东方广场东配楼四层
邮　　编：100005
发行电话：（010）88356856　88356858
印　　刷：北京印匠彩色印刷有限公司
经　　销：各地新华书店
版　　次：2015 年 5 月第 1 版 第 1 次印刷
开　　本：889 毫米×1194 毫米　1/24
印　　张：10 印张
字　　数：100 千字
定　　价：22.80 元

情商故事

序 言
XU YAN

金苹果童书馆
为孩子打造 快乐阅读 的小书房

金苹果童书馆,秉承第一时间启迪孩子心智、让孩子在阅读中接触缤纷世界的理念,为3-7岁小读者精心甄选了这一年龄段不可不读的精彩内容。

金苹果童书编委会在充分研究和总结儿童心理与认知水平的基础上,汇总出不同类型、不同题材和不同体裁的优秀童书内容,作为送给孩子们的丰富、多元、健康的精神食粮。

这里有经典的中国古典启蒙读物,有流传全世界的美好童话,有开阔孩子认知视野的经典故事,也有帮助孩子更好成长的必读故事。一一筛选经典书目,本本必读;根据内容特色精心手绘的内页插图,画工精良;细致贴心的完美设计由内而外,书香四溢,尽心尽力为孩子营造捧在手中的阅读时光。

成长只有一次,给孩子一个爱上阅读的最好理由。

目 录
MU LU

情商故事

ZHONG GUO ER TONG CHENG ZHANG BI DU GU SHI

中 国 儿 童 成 长 必 读 故 事

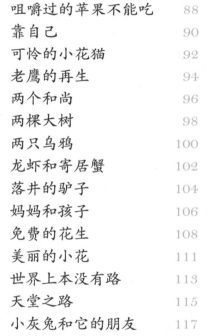

抗压耐挫 篇

KANG YA NAI CUO PIAN

目　录
MU LU

化解危机 篇
HUA JIE WEI JI PIAN

ZHONG GUO ER TONG CHENG ZHANG BI DU GU SHI

中 国 儿 童 成 长 必 读 故 事

积极自信 篇

自信是宝贵的人生财富。

本章故事有的讲述自信带来的成功和快乐，有的总结出不自信的经验和教训。

读读这些故事，你会从中发现，自信是能创造奇迹的。

昂起头来真美

自信原本就是一种美丽。珍妮是个总爱低着头的小女孩儿，她一直觉得自己长得不够漂亮。

有一天，她到饰品店去买了个绿色蝴蝶结，店主不断赞美她戴上蝴蝶结真漂亮，她虽不信，但是挺高兴，不由昂起了头。因为急于让大家看看，她出门时与人撞了一下都没在意。

珍妮走进教室，迎面碰上了她的老师。"珍

妮，你昂起头来真美！"

老师爱抚地拍拍她的肩说。

那一天，她得到了许多人的赞美，她想一定是蝴蝶结的功劳。可回到家，珍妮往镜子前一照，头上根本就没有蝴蝶结，一定是出饰品店时与人一碰弄丢了。虽然没有蝴蝶结，珍妮的自信依然让她获得了很多赞美。

情商启迪★

自信原本就是一种美丽，但很多人却因为太在意外表而失去了很多快乐。其实，只要你昂起头来，自信就会使你变得快乐而可爱。

把心撑过去

yī wèi chēng gān tiào xuǎn shǒu　　yī zhí kǔ
一位撑杆跳选手，一直苦
yú wú fǎ chāo yuè yī gè jí xiàn gāo dù　tā yī
于无法超越一个极限高度。他一
cì cì de tiào　　què yī cì cì de shī bài
次次地跳，却一次次地失败。

zuì hòu tā shī wàng de duì
最后他失望地对
jiào liàn shuō　　wǒ shí zài tiào bu
教练说："我实在跳不
guò qù zhè ge gāo dù
过去这个高度。"

jiào liàn wèn　　nǐ
教练问："你
xīn li zài xiǎng shén me
心里在想什么？"

tā huí dá shuō　　wǒ
他回答说："我

yī chōng dào qǐ tiào xiàn   kàn dào nà ge
一冲到起跳线，看到那个

gāo dù   xīn li jiù jué de wǒ bù xíng
高度，心里就觉得我不行，

wǒ tiào le nà me duō cì   jiù shì tiào
我跳了那么多次，就是跳

bu guò qù
不过去。"

jiào liàn gào su tā   nǐ
教练告诉他："你

yī dìng kě yǐ tiào guo qu   dàn shǒu xiān nǐ
一定可以跳过去。但首先你

bì xū bǎ nǐ de xīn cóng gān shang chēng guo qu   jiē xia
必须把你的心从杆上撑过去，接下

lai nǐ de shēn zi jiù yī dìng huì gēn zhe guò qu de
来你的身子就一定会跟着过去的。"

zhè míng xuǎn shǒu zhào zhe jiào liàn de huà zuò le   tā chēng qi gān yòu tiào
这名选手照着教练的话做了，他撑起杆又跳

le yī cì   guǒ rán yī yuè ér guò
了一次，果然一跃而过。

情商启迪★

一个人最难克服的就是心理障碍，如果你相信自己，就一定能够做到你想做到的事。小朋友，你能像这个运动员一样对自己有信心吗？

从石头到稀世珍宝

yǒu yī gè nán hái er　　cóng xiǎo jiù zhǎng zài
有一个男孩儿，从小就长在

gū ér yuàn li　　tā fēi cháng bēi guān　　yī cì　　tā
孤儿院里，他非常悲观。一次，他

shāng gǎn de wèn yuàn zhǎng　　xiàng wǒ zhè yàng méi rén
伤感地问院长："像我这样没人

yào de hái zi　　néng yǒu shén me jià zhí a
要的孩子，能有什么价值啊？"

yú shì yuàn zhǎng jiāo gěi
于是院长交给

nán hái er yī kuài er shí tou
男孩儿一块儿石头，

shuō　　míng tiān zǎo shang
说："明天早上，

nǐ ná zhè kuài er shí
你拿这块儿石

tou dào cài shì chǎng
头到菜市场

上去卖。记住，无论别人出多少钱，你绝对不能把石头卖掉。"

第二天，男孩儿蹲在菜市场的角落里，只有很少的几个人愿意买这块儿石头，且只不过是几个小硬币的价钱。男孩儿回来后说："它最多只能卖到几个硬币的价钱。"

院长笑了笑，要他明天再把石头拿到黄金市场上去卖，看看那里能卖多少钱。男孩儿从黄金市场回来，高兴地说："这些人肯出1000元买这块儿石头。"

最后，院长叫男孩儿把石头拿到宝石市场上去展示。这次男孩儿简直不敢相信，有人竟然愿意出5万元钱，还有的愿意出20万或30万元，甚至还有人说："你要多少就多少，只要你卖这块儿石头。"

由于男孩儿怎么都不肯卖，这块儿石头竟被传为"稀世珍宝"。

回到孤儿院，男孩兴奋地跑到院长面前，说："我明白您的意思了，我再也不会妄自菲薄了！"院长满意地点了点头。

情商启迪 ★

其实，每个人都像这块儿石头一样，在不同的环境中会有不同的欣赏者，你的价值也因此而不同。每个人都是有价值的，只是暂时还没有被人认识到而已。但我们依然要坚信自己是有价值的，并自信地为之更加努力。

丑陋的小刺猬

“你为什么整天都趴在窝里不出来呢？”快乐的小松鼠站在刺猬的洞口，呼唤着害羞的邻居小刺猬。

“因为我害怕看到别人！”里面传出小刺猬细微的声音。

"那有什么好怕的？大家都很友好，而且都希望能和你成为朋友！"小松鼠劝说道。

"我知道，但是我长得很难看……而且长满了刺……你们会不喜欢我的！"小刺猬不好意思地犹豫着说。

"那太好了，你的刺可以保护我们，再说朋友之间还是需要有点距离的，这是你的优点啊！"小松鼠兴奋地叫道。

"可我没有你那么能说会道，我能和别人聊点什么呢？"小刺猬探出头，羞得满脸通红。

"你的口才也很好啊。看你为自己找起借口来多能说！"小松鼠开玩笑地说，"随便说什么都行，我们俱乐部的朋友都是随便聊的，在那里你还可以享受蜂蜜，说不定大家还会推选你去保卫部任职呢！"

听到这些，小刺猬终于走出了那一步，尝试着去和其他小动物交朋友，并且在这个过程中发现了自己的优点，克服了自卑心理，最终成为了动物俱乐部的成员。

情商启迪★

在造物主的眼中，每一个生命生来都是一个奇迹。要想让这个奇迹得到别人的认可，就要充满自信地去尝试，去挑战自己，超越自己。小朋友，你现在是不是已经喜欢自己，热爱自己，相信自己了呢？

登上自己的顶峰

几年以前，一支世界探险队准备攀登马特峰的北峰，在此之前从来没有人到达过那里，记者对这些来自世界各地的探险者进行了采访。

记者问其中的一名探险者："你打算登上马特峰的北峰吗？"他回答说："我将尽力而为。"

记者又问

另外一名探险者同样的问题。这名探险者回答道：
"我会全力以赴。"

第三名探险者面对前面的问题，回答说："我将竭尽全力。"

最后，记者问一位来自美国的青年："你打算登上马特峰的北峰吗？"这个美国青年直视着记者回答说："我将要登上马特峰的北峰。"

结果，所有探险者中，只有那个说"我将要"的美国青年登上了马特峰的北峰。他出发时就相信自己一定能抵达北峰，结果他的确做到了。

情商启迪 ★

尽力而为、全力以赴、竭尽全力永远都不如那句"我将要"来得自信。这个故事告诉我们，无论追求的是什么，我们都应该在实现目标之前，就自信能够做到。先想象到，再去做到。

低头也要自信

一天，向日葵嘲笑含羞草。
yī tiān　xiàng rì kuí cháo xiào hán xiū cǎo

"你啊！碰到事情就吓得将
nǐ a　pèngdào shì qing jiù xià de jiāng

脸遮起来，真是太没
liǎn zhē qi lai　zhēn shi tài méi

用了。"向日葵说。
yòng le　xiàng rì kuí shuō

含羞草笑一笑，
hán xiū cǎo xiào yi xiào

并没有替自己辩解。
bìng méi yǒu tì zì jǐ biàn jiě

nǐ kàn wǒ wú lùn shén me shí hou
"你看我，无论什么时候

dōu shì zhàn de zhí tǐng tǐng de xiàng rì
都是站得直挺挺的！"向日

kuí jiāo ào de xuàn yào zhe
葵骄傲地炫耀着。

wǔ hòu tū rán xià le yī cháng qīng
午后，突然下了一场倾

pén dà yǔ tóng shí bàn suí zhe kuáng fēng
盆大雨，同时伴随着狂风。

hán xiū cǎo yī rú jì wǎng zhē zhù zì jǐ de liǎn duǒ bì fēng yǔ
含羞草一如既往，遮住自己的脸，躲避风雨。

dāng tā zhēng kai yǎn jing shí jìng fā
当它睁开眼睛时竟发

xiàn xiàng rì kuí yīn wèi zhí tǐng
现，向日葵因为直挺

zhàn lì ér bèi qiáng jìng de kuáng fēng
站立而被强劲的狂风

chuī duàn le zhī gàn yǐ jīng yǎn yǎn yī xī le
吹断了枝干，已经奄奄一息了！

情商启迪

骄傲，是一种骨气的表现，但是有时，低头并不会折损颜面。含羞草在受到打击时没有激烈反抗，而是用这种无言的自信证明了自己的坚强，这样的自信也令我们钦佩。

独一无二的你

yǒu yī zhī xiǎo má què fēi dào sēn lín li kàn dào
有一只小麻雀飞到森林里，看到

le yī zhī kǒngquè tā jué de kǒngquè de chì bǎng shì rú
了一只孔雀。他觉得孔雀的翅膀是如

cǐ měi lì zài kàn kan zì jǐ zhè me chǒu zhè me
此美丽，再看看自己这么丑、这么

xiǎo de chì bǎng zì bēi gǎn yóu rán ér shēng
小的翅膀，自卑感油然而生。

dào le wǎnshang xiǎo má
到了晚上，小麻

què zuò le yī gè mèng tā mèng jiàn
雀做了一个梦，他梦见

zì jǐ biànchéng le yī zhī měi lì de
自己变成了一只美丽的

kǒngquè zhèng xìng gāo cǎi liè
孔雀，正兴高采烈

de zhǎn shì zhe chì bǎng zhè
地展示着翅膀，这

时突然有一只狼迎面扑来。他努力地振翅想逃，却发现自己已经不能飞翔了。小麻雀在惊慌中吓醒了，心想还好只是个梦。

有一天，小麻雀飞到一座高山上。他看到老鹰飞得好高好高，威风极了，觉得自己跟老鹰比起来真是太渺小了。一会儿，小麻雀靠着树干睡着了，梦见自己变成了老鹰，任意翱翔于天空好不神气。但是，他以前的好友却都离他而去，不敢再与他玩了。他突然觉得好孤单，还是当小麻雀的日子比较快乐。醒来后，他好庆幸自己还是一只小麻雀。

情商启迪 ★

小朋友，当你看到别人的优点时，会不会对自己产生怀疑，感到自己不如别人呢？其实，每个人都是独一无二的，当你看重自己时，你就会发现，其实自己也有许多优点。保有自己的特性，充满自信，你将会是个快乐而幸福的人！

断箭

春秋战国时代，一位父亲和他的儿子出征打仗。父亲已做了将军，儿子还只是马前卒。进攻的号角吹响了，在战鼓雷鸣中，父亲庄严地交给儿子一个箭囊，里面插着一支箭。父亲郑重地说："这是家传宝箭，佩带在身边，会使你力量无穷，但千万不可抽出来用。"

那是一个极其精美的箭囊，厚牛皮缝制，镶着幽幽泛光的铜边儿，囊口露出了用上等孔雀羽毛制作的箭尾。儿子喜上眉梢，贪婪地推想着箭杆、

jiàn tóu de mú yàng　xiǎng xiàng zhe tā yòng zhè zhī jiàn bǎ dí fāng zhǔ shuài shè
箭头的模样，想象着他用这支箭把敌方主帅射

xia mǎ de yīng zī
下马的英姿。

guǒ rán　　pèi dài
果然，佩带

bǎo jiàn de ér zi yīng yǒng
宝箭的儿子英勇

fēi fán　suǒ xiàng pī mǐ
非凡，所向披靡。

míng jīn shōu bīng
鸣金收兵

shí　　ér zi zài
时，儿子再

yě jīn bu zhù dé
也禁不住得

19

shèng de xǐ yuè wàng jì le fù qīn de
胜的喜悦，忘记了父亲的

dīng zhǔ sōu yī shēng bá chu bǎo jiàn
叮嘱，嗖一声拔出宝箭，

xiǎng kàn gè jiū jìng jiù zài zhè shí tā jīng
想看个究竟。就在这时，他惊

dāi le yī zhī duàn jiàn jiàn náng li zhuāng zhe yī
呆了：一支断箭，箭囊里装着一

zhī zhé duàn de jiàn ér zi xià chu le yī shēn lěng hàn fǎng fú shī qù le shēng
支折断的箭。儿子吓出了一身冷汗，仿佛失去了生

mìng de zhī zhù jié guǒ tā zài xià yī cì jìn gōng shí cǎn bài
命的支柱，结果，他在下一次进攻时惨败。

fù qīn cóng xiāo yān zhōng jiǎn qi nà zhī duàn jiàn chén zhòng de tàn xī dào
父亲从硝烟中拣起那支断箭，沉重地叹息道：

bù xiāng xìn zì jǐ de yì zhì yǒng yuǎn yě zuò bu chéng jiāng jūn
"不相信自己的意志，永远也做不成将军。"

情商启迪★

不相信自己的意志，永远也做不成将军。其实，每个人的心中都有一支宝箭，若要它坚韧，若要它锋利，若要它百步穿杨、百发百中，磨砺它、拯救它的都只能是自己。

赶 考

yǒu wèi xiù cai dì sān cì jìn jīng gǎn kǎo zhù zài yī gè jīng cháng zhù de
有位秀才第三次进京赶考，住在一个经常住的

kè diàn li
客店里。

kǎo shì qián liǎng tiān tā zuò le sān gè mèng dì yī gè mèng
考试前两天他做了三个梦：第一个梦

shì mèng dào zì jǐ zài qiáng shang zhòng bái cài dì èr gè mèng shì
是梦到自己在墙上种白菜；第二个梦是

xià yǔ tiān tā dài le dǒu lì hái dǎ sǎn
下雨天，他戴了斗笠还打伞；

dì sān gè mèng shì mèng dào gēn qī zi bèi kào
第三个梦是梦到跟妻子背靠

zhe bèi tǎng zài yī qǐ
着背躺在一起。

zhè sān gè mèng sì hū yǒu xiē shēn yì
这三个梦似乎有些深意，

xiù cai dì èr tiān jiù gǎn jǐn qù zhǎo suàn mìng
秀才第二天就赶紧去找算命

的解梦。算命的一听，连连说："你还是回家吧。你想想，高墙上种菜不是白费劲吗？戴斗笠打雨伞不是多此一举吗？跟妻子躺在一张床上了，却背靠背，不是生气吗？"秀才一听，心灰意冷，回店收拾包袱准备回家。

店老板非常奇怪，问："不是明天才考试吗，今天你怎么就回乡

了？"秀才如此这般说了一番，店老板乐了："哟，我也会解梦的。我倒觉得，你这次一定要留下来。你想想，墙上种菜不是高中吗？戴斗笠打伞不是说明你这次有备无患吗？跟你妻子背靠背躺在床上，不是说明你一翻身就面对面了吗？你要往积极的一面想啊！"

秀才一听，觉得有道理，于是卸下包袱，精神振奋地参加考试，居然中了探花。

情商启迪 ★

积极的人，像太阳，照到哪里亮到哪里。信念决定我们的生活，有什么样的信念，就有什么样的未来。小朋友，相信你也希望做一个积极向上的人，并且还能鼓励别人，激励别人，成为别人的小太阳。

国外来的袋鼠

从国外来了只大袋鼠，大家看到它肚子上的口袋都觉得挺新鲜。

猴子说："哟，多稀奇呀，肚子上还有个口袋，一定是装桃子用的。"

"不，那一定是装松子的。"松鼠说。

"怎么会呢！"骆驼连忙否定了它们，说，"我想那一定是装草料的。"

袋鼠听了，笑着说："它是我的育儿袋。"

"啧！啧！"大家咂咂嘴，更觉得了不起，"从

guó wài lái de shì bù tóng a
国外来的是不同啊！"

yǒu shén me dà jīng xiǎo guài de   nǐ men bù yě dōu yǒu kǒu dai ma
"有什么大惊小怪的！你们不也都有口袋吗？"

dài shǔ shuō
袋鼠说。

wǒ men   dà jiā nǐ kàn kan wǒ   wǒ kàn kan nǐ
"我们？"大家你看看我，我看看你。

nǐ   dài shǔ zhǐ zhe hóu
"你！"袋鼠指着猴

zi shuō   kǒu qiāng liǎng biān bù shì
子说，"口腔两边不是

yě gè zhǎng zhe yī zhī   shí pǐn dài   me
也各长着一只'食品袋'么？

chī bu wán de dōng xi jiù cáng zài lǐ miàn   hóu zi
吃不完的东西就藏在里面。"猴子

dèng dà le yǎn jing shuāng shǒu xià yì
瞪大了眼睛，双 手下意

shi de mō le mō liǎng sāi
识地摸了摸两腮。

"你！"袋鼠指着松鼠说，"口腔两边有个'运输袋'，把松子装进去，又吐出来埋藏在地下，对吧？"松鼠愣住了，一副被人发现秘密的表情。

"还有你！"袋鼠对骆驼说，"背上的驼峰，不是很好的'营养袋'么？"骆驼点点头。

"呀，原来我们都有口袋，这没什么了不起的嘛！"大家不好意思地笑了。

情商启迪 ★

小朋友你们看，同样的优点是不是在你们身上也都有呢，只是优点有时会被自己忽视。特别是在欣赏外来的事物时，我们更容易因为差异而引起自卑感。其实，我们自身往往有着其他人不具备的优势。

裂 缝

tiāo shuǐ gōng yǒu liǎng gè shuǐ guàn   yī gè
挑水工有两个水罐，一个

wán hǎo wú quē   yī gè yǒu yī tiáo liè fèng
完好无缺，一个有一条裂缝。

měi tiān zǎo shang   tiāo shuǐ gōng
每天早上，挑水工

dōu dān zhe liǎng gè shuǐ guàn qù dǎ shuǐ
都担着两个水罐去打水，

dàn dào jiā de shí hou
但到家的时候，

yǒu liè fèng de shuǐ guàn
有裂缝的水罐

27

里只剩下一半的水了。所以，完好的水罐常常嘲笑那个有裂缝的水罐，而有裂缝的水罐也因此十分自卑。

终于有一天，在挑水工打水的时候，有裂缝的水罐难过地哭了。听到哭声，挑水工低头问道："你为什么哭得这么伤心啊？"

"真对不起，因为我的裂缝，每天浪费您那么多辛辛苦苦从井里打上来的水。"有裂缝的水罐呜咽道。

"不，没有浪费，流出的水自有它们的用途，你如果不相信，可以看一下回家路上的那些鲜花。"

说完，挑水工又担着水罐往回走。

果然，有裂缝的水罐发现，不知何时，自己这边的小路上开满了各种鲜花，而好水罐的那边却没有。

挑水工边走边说："看到这些美丽的花，你应该看到了自己的价值。我在你这边的路上撒下了花种子，正因为你有裂缝，才使它们每天都能喝到足够的水，开出美丽的鲜花。若不是你，我怎么可能采到这么美丽的鲜花，并用它们装饰我的家呢？"

有裂缝的水罐听到这里，油然而升一股自豪感，高兴地笑了。

情商启迪 ⭐

人生旅途中的你也许和这个水罐一样，有时难免有些不如意的"裂缝"。这时请不要悲观和失望，只要重拾信心，善于利用自己的"裂缝"，也会使旅途中开满美丽的"鲜花"。现在，小朋友应该知道，怎样让自己的劣势变为优势了吧。

美丽源于自信

mǒu suǒ xué xiào de xiào zhǎng　　zài yī gè bān de xué shēng
某所学校的校长，在一个班的学生

zhōng tiāo chu yī gè zuì nán kàn　　zuì bù zhāo rén xǐ huan
中挑出一个最难看、最不招人喜欢

de gū niang　　bìng yāo qiú tā　de tóng xué men gǎi biàn
的姑娘，并要求她的同学们改变

yǐ wǎng duì tā　de kàn fǎ
以往对她的看法。

yú shì　　dà jiā dōu
于是，大家都

kāi shǐ zhēng xiān kǒng hòu de
开始争先恐后地

zhào gù zhè wèi gū
照顾这位姑

niang　zhǔ dòng hé
娘，主动和

tā wán　　péi tā
她玩，陪她

30

huí jiā　dà jiā yǒu yì shi de cóng xīn li rèn dìng
回家。大家有意识地从心里认定

tā shì yī wèi piào liang　cōng huì de gū niang
她是一位漂亮、聪慧的姑娘,

bìng cháng cháng zhè yàng chēng zàn tā
并常常这样称赞她。

jié guǒ bù dào yī nián　zhè wèi gū niang
结果不到一年,这位姑娘

jiù tóng yǐ qián pàn ruò liǎng rén le　tā kàn shang
就同以前判若两人了,她看上

qu shì nà me měi lì　kuài lè　jǔ shǒu tóu zú jiān yáng yì zhe zì xìn de guāng
去是那么美丽、快乐,举手投足间洋溢着自信的光

máng　tā yú kuài de duì rén men shuō　wǒ huò dé le xīn shēng
芒。她愉快地对人们说:"我获得了新生。"

qí shí　tā bìng méi yǒu biàn chéng lìng yī gè rén　zhǐ shì zhǎn xiàn chu le
其实,她并没有变成另一个人,只是展现出了

měi yī gè rén dōu yùn cáng de měi　zhè zhǒng měi zhǐ yǒu zài wǒ men xiāng xìn zì jǐ
每一个人都蕴藏的美,这种美只有在我们相信自己,

zhōu wéi de rén yě dōu xiāng xìn　ài hù wǒ men de shí hou cái huì zhǎn xiàn chu lai
周围的人也都相信、爱护我们的时候才会展现出来。

情商启迪 ★

　　生活的旅途并非为每一个人都准备了鲜花和掌声,最要紧的是我们自己要对自己有信心。我们必须相信,我们都具有天赋和才能,并且,无论别人的态度是怎样的,我们都不要抛弃这份自信。

没有不重要的小演员

一个小男孩儿哭着跑回家，因为在学习活动里，老师让他扮演了一个极小的角色，这个角色甚至没有一句台词，而

32

他的同学却扮演了重要角色。

母亲听后冷静地把她的手表放在男孩儿的手心里，接着问男孩儿："你看到了什么？"

男孩儿回答说："表壳和指针。"

母亲把表背面打开后又问男孩儿同样的问题，这时，男孩儿看到了许多小齿轮和螺丝。

母亲对男孩儿说："假使缺少这些零件中的任何一个，这个表便不能走动，就连那些你几乎看不到的零件也是一样重要。生活也是同样的道理。要记住，没有不重要的小演员。"

情商启迪★

无论我们担任什么样的角色，只要是分内的事，都应该尽力把它做到最好。再小的事、再不起眼的小角色，也有它存在的意义和价值。

你自己最伟大

yī zhī xiǎo lǎo shǔ cóng zì jǐ de fáng zi
一只小老鼠从自己的房子

lǐ pá chu lai kàn dào gāo xuán zài
里爬出来，看到高悬在

kōng zhōng fàng shè zhe wàn zhàng
空中、放射着万丈

guāng máng de tài yáng tā jīn
光芒的太阳。他禁

bu zhù duì tài yáng shuō
不住对太阳说：

tài yáng gōng gong nǐ zhēn
"太阳公公，你真

shì tài wěi dà le
是太伟大了！"

tài yáng yáo le yáo tóu shuō　　dāi huì
太阳摇了摇头说："待会

er wū yún jiě jie chū lai　　bǎ wǒ zhē zhù
儿乌云姐姐出来，把我遮住，

nǐ jiù kàn bu jiàn wǒ le　　guǒ rán　　bù
你就看不见我了。"果然，不

yī huì er　　wū yún chū lai le　　zhē zhù le
一会儿，乌云出来了，遮住了

tài yáng　　tiān sè yě àn le xià lái
太阳，天色也暗了下来。

xiǎo lǎo shǔ yòu duì wū yún shuō　　wū yún jiě jie　　nǐ zhēn shi tài wěi dà
小老鼠又对乌云说："乌云姐姐，你真是太伟大

le　　lián tài yáng dōu bèi nǐ zhē zhù le　　wū yún què shuō　　fēng gū niang yī
了，连太阳都被你遮住了。"乌云却说："风姑娘一

lái　　nǐ jiù zhī dào shéi zuì wěi dà le
来，你就知道谁最伟大了。"

yī zhèn kuáng fēng chuī guo　　yún xiāo
一阵狂风吹过，云消

wù sàn　　yī piàn qíng kōng
雾散，一片晴空。

xiǎo lǎo shǔ qíng bù zì jīn
小老鼠情不自禁

dào　　fēng gū niang
道："风姑娘，

nǐ yī lái　　bǎ wū yún
你一来，把乌云

jiě jie chuī sàn le　　bǎ tài yáng gōng
姐姐吹散了，把太阳公

35

gōng jiě jiù chū lai le　　nǐ shì shì jiè shang zuì wěi dà de　　fēng gū niang yǒu
公解救出来了，你是世界上最伟大的！"风姑娘有

xiē bēi shāng de shuō　　nǐ kàn qián miàn nà dǔ qiáng wǒ dōu chuī bu guò qù ya
些悲伤地说："你看前面那堵墙，我都吹不过去呀！"

yú shì　　xiǎo lǎo shǔ yòu pá dào qiáng biān　　shí fēn jǐng yǎng de shuō　　qiáng
于是，小老鼠又爬到墙边，十分景仰地说："墙

dà gē　　nǐ zhēn shi shì jiè shang zuì wěi dà de　　qiáng zhòu zhòu méi　　shí fēn
大哥，你真是世界上最伟大的。"墙皱皱眉，十分

bēi shāng de shuō　　wǒ nǎ li shì　　nǐ zì jǐ cái shì zuì wěi dà de ya　　nǐ
悲伤地说："我哪里是？你自己才是最伟大的呀。你

kàn　　wǒ mǎ shàng jiù yào dǎo le　　jiù shì yīn wèi nǐ hé nǐ de xiōng dì zài wǒ
看，我马上就要倒了，就是因为你和你的兄弟在我

xià miàn zuān le hǎo duō de dòng
下面钻了好多的洞！"

guǒ zhēn　　qiáng yáo yáo yù zhuì　　cóng qiáng jiǎo zhōng pǎo chu yī zhī zhī xiǎo lǎo
果真，墙摇摇欲坠，从墙角中跑出一只只小老

shǔ　　jiàn dào zhè ge qíng jǐng　　xiǎo lǎo shǔ diǎn le diǎn tóu　　yī fù ruò yǒu suǒ sī
鼠。见到这个情景，小老鼠点了点头，一副若有所思

de yàng zi
的样子。

情商启迪★

　　小朋友你们看，小老鼠转了一圈，最后才发现，其实最伟大的是自己。你们是不是也一直认为自己很渺小而不自信呢？那么从现在开始，扬起你的头，做一个自信的孩子吧。

三只青蛙的命运

sān zhī qīng wā diào jin le xiān niú nǎi tǒng zhōng
三只青蛙掉进了鲜牛奶桶中。

dì yī zhī qīng wā shuō zhè shì
第一只青蛙说："这是

mìng yú shì tā pán qi hòu tuǐ
命。"于是，它盘起后腿，

yī dòng bù dòng de děng dài zhe sǐ
一动不动地等待着死

wáng de jiàng lín
亡的降临。

dì èr zhī qīng wā shuō
第二只青蛙说：

zhè tǒng kàn qi lai tài gāo le
"这桶看起来太高了，

píng wǒ de tiào yuè néng lì shì bù
凭我的跳跃能力是不

kě néng tiào chu qu de wǒ jīn
可能跳出去的。我今

天死定了。"于是，它沉入桶底淹死了。

第三只青蛙打量着四周说："真是不幸！但我的后腿还有劲儿，我要找到垫脚的东西，跳出这可怕的桶！"

于是，它一边划一边跳，慢慢地，牛奶在它的搅拌下变成了奶油块儿。在奶油块儿的支撑下，这只青蛙纵身一跃，终于跳出了牛奶桶，获得了自由。

情商启迪★

在这个故事中，是谁救了第三只青蛙呢？是自信。即使别人能救你，也是因为你自己永不放弃。只要拥有坚定的意志、必胜的信念、持续的行动，你就一定会创造出属于自己的奇迹。

神奇的药丸

xīn lǐ xué jiā zài yī suǒ zhùmíng de dà xuézhōng
心理学家在一所著名的大学中，

xuǎn le yī xiē yùndòngyuánzuò shí yàn tā yào zhè xiē
选了一些运动员做实验。他要这些

yùndòngyuánzuò yī xiē bié rén wú fǎ zuò dào de dòngzuò
运动员做一些别人无法做到的动作，

hái gào su tā men suī rán tā men shì guó nèi zuì hǎo de
还告诉他们，虽然他们是国内最好的

yùndòngyuán dàn tā men yě
运动员，但他们也

shì hěn nán zuò dào de
是很难做到的。

zhè qún yùn dòng yuán
这群运动员

bèi fēn chéng le liǎng zǔ dì
被分成了两组，第

yī zǔ dào le tǐ yù guǎn
一组到了体育馆

39

hòu　　suī rán jìn lì qù zuò　　dàn hái shi zuò bu
后，虽然尽力去做，但还是做不

dào　　dì èr zǔ dào tǐ yù guǎn hòu　　yán jiū
到。第二组到体育馆后，研究

rén yuán gào su tā men dì yī zǔ shī bài le
人员告诉他们第一组失败了。

dàn nǐ men zhè yī zǔ bù tóng　　yán
"但你们这一组不同。"研

jiū rén yuán shuō　　bǎ zhè ge yào wán chī xia
究人员说，"把这个药丸吃下

qu　　zhè shì yī zhǒng xīn yào　　huì shǐ nǐ men dá dào chāo rén de shuǐ zhǔn
去，这是一种新药，会使你们达到超人的水准。"

jié guǒ dì èr zǔ yùn dòng yuán hěn róng yì jiù wán chéng le zhè xiē kùn nan de
结果第二组运动员很容易就完成了这些困难的

liàn xí
练习。

nà shì shén me yào wán　　cān jiā zhě wèn dào
"那是什么药丸？"参加者问道。

nà xiē bù guò shì wéi shēng sù wán ér yǐ
"那些不过是维生素丸而已。"

情商启迪★

　　第二组之所以完成了不可能的动作，是因为他们相信自己能行。在生活中，大部分人遭到失败的原因，都在于他们错误地判断了自己的能力，低估了自己的价值。其实，小朋友们不难发现，成功的秘诀就是，战胜自己的心理障碍。

受打击的鸭子

yǒu zhī xiǎo yā zi zài hé miànshang bù duàn de
有只小鸭子在河面上不断地

yóu lái yóu qù xiǎng yào zhǎo yú chī qí tā yā zi dōu bǔ
游来游去，想要找鱼吃，其他鸭子都捕

dào le yú kě shì tā yóu le yī zhěng tiān què lián yī tiáo
到了鱼，可是它游了一整天，却连一条

yú yě zhǎo bu dào
鱼也找不到。

dào le wǎnshang tā kàn jiàn yuè
到了晚上，它看见月

liang de yǐng zi dào yìng zài shuǐ zhōng huàng
亮的影子倒映在水中晃

dòng yǐ wéi shì yī tiáo yú biàn qián xia qu
动，以为是一条鱼，便潜下去

bǔ zhuō　jié guǒ　pū le gè kōng
捕捉，结果，扑了个空。

zhè shí　　qí tā yā zi kàn jiàn
这时，其他鸭子看见

le　jiù xiào hua tā shuō　　nǐ men kàn
了，就笑话它说："你们看

tā duō shǎ a　　jū rán bǎ yuè liang dào
它多傻啊，居然把月亮倒

yìng zài shuǐ li de yǐng zi dàng yú le　xiǎo yā zi tīng dào zhè li　　xiū kuì nán
映在水里的影子当鱼了。"小鸭子听到这里，羞愧难

dāng　　huī liū liū de yóu zǒu le
当，灰溜溜地游走了。

shòu zhè cì dǎ jī zhī hòu　xiǎo yā zi shī qù le zì xìn　　jí shǐ zài
受这次打击之后，小鸭子失去了自信，即使在

shuǐ li kàn jiàn zhēn de yú　　yě bù gǎn zài qù bǔ zhuō　jié guǒ hěn bù xìng è
水里看见真的鱼，也不敢再去捕捉，结果很不幸饿

sǐ le
死了。

情商启迪★

　　生活中，失去自信是最可怕的。像这只可怜的小鸭子，仅仅因为别人的嘲笑便失去了生活的信心。这虽然只是一个小故事，但在现实生活中，因为一些小挫折便失去自信的大有人在。小朋友们，如果换做是你们，会不会这样不自信呢？

驼背的王子

从前有一位王子，长得十分英俊，却是一个驼背。这个缺陷使他非常自卑，甚至不愿见人。国王为此很是着急。

为了能让小王子振作起来，国王想尽了办法。

有一天，国王请了全国最好的雕刻家，刻了一座王子的雕像。

雕刻家刻出的雕像惟妙惟肖，只是没有驼背，

bèi shì zhí tǐng tǐng de
背是直挺挺的。

guówáng kàn zhe diāoxiàng　mǎn yì de diǎndian tóu
国王看着雕像，满意地点点头，

bìngjiāng zhè zuò diāoxiàngshù lì yú wáng zǐ de gōngdiànqián
并将这座雕像竖立于王子的宫殿前。

jǐ gè yuè zhī hòu　bǎi xìngshuō　wáng zǐ yuè
几个月之后，百姓说："王子越

lái yuè yīng jùn le　tā de tuó bèi yě bù xiàng yǐ wǎng
来越英俊了，他的驼背也不像以往

nà me yán zhòng le　dāngwáng zǐ tīng dào zhè
那么严重了。"当王子听到这

xiē huà shí　tā de nèi xīn dé dào le
些话时，他的内心得到了

gǔ wǔ
鼓舞。

zhōng yú yǒu yī tiān　qí jì chū
终于有一天，奇迹出

xiàn le　dāngwáng zǐ zhàn lì shí　tā
现了，当王子站立时，他

de bèi shì zhí tǐng tǐng de　yǔ diāoxiàng yī yàng
的背是直挺挺的，与雕像一样。

🖊 情商启迪 ★

　　一个人的外在表现，取决于他在内心对自己的定位。人的许多缺陷都是由自己的心理造成的，正所谓"相由心生，相随心灭"。你能否快乐、成功，都取决于你的心态和你的自信程度，而这一点恰恰需要你自己来做到。

乌鸦和喜鹊

乌鸦和喜鹊各占一个山头作为领地。乌鸦的山头长满了奇花异草，像一座十分美丽的大花园。喜鹊的山头长着各种树木，葱茏苍翠，十分壮观。乌鸦时常望着对面的山想：还是喜

què de shān tóu hǎo zì jǐ de shān tóu quán shì zá cǎo
鹊的山头好，自己的山头全是杂草，

méi yǒu yī kē chéng cái de dōng xi xǐ què yě
没有一棵成材的东西。喜鹊也

wàng zhe duì miàn de shān tóu xiǎng hái shi wū yā
望着对面的山头想：还是乌鸦

de shān tóu hǎo wǒ zhè shān tóu quán shì yìng bāng
的山头好，我这山头全是硬邦

bāng de dà shù yī diǎn er yě bù wēn xīn
邦的大树，一点儿也不温馨。

yú shì tā men jiāo huàn le lǐng dì
于是它们交换了领地。

wū yā fēi dào xǐ què de lǐng dì yī kāi shǐ gǎn dào hěn xīn xiān dàn bù
乌鸦飞到喜鹊的领地，一开始感到很新鲜，但不

jiǔ biàn fā xiàn cǐ dì méi huā méi cǎo tài dān diào le tā hěn kuài jiù hòu huǐ
久便发现：此地没花没草，太单调了。它很快就后悔

le xǐ què fēi dào wū yā de lǐng dì hòu yī kāi shǐ yě gǎn dào hěn mǎn yì
了。喜鹊飞到乌鸦的领地后，一开始也感到很满意，

dàn bù jiǔ biàn fā xiàn méi yǒu gāo dà de shù mù qī shēn nán shòu jí le tā
但不久便发现没有高大的树木栖身，难受极了，它

yě hòu huǐ le
也后悔了。

情商启迪 ★

　　其实，每个人都拥有美好的东西，只是有些人看不见，总是这山望着那山高，久而久之，就变得不满足起来。小朋友们，你们都能认识自己，了解自己的使命吗？

羡慕自己

huāyuán li kāi mǎn le wǔ yán liù sè de xiān huā   qí zhōng zuì piàoliang de
花园里开满了五颜六色的鲜花，其中最漂亮的

yào shǔ qiáng wēi huā le   suǒ yǒu lù guò qiáng wēi huā de rén dōu huì dī xia tóu lai
要属蔷薇花了，所有路过蔷薇花的人都会低下头来

wénwen tā sàn fā chu de xiāng qì
闻闻它散发出的香气。

zài qiáng wēi huā páng
在蔷薇花旁，

shēng zhǎng zhe yī
生 长 着 一

cóng jī guān huā
丛鸡冠花，

tā men méi yǒu qiáng
它们没有蔷

wēi huā nà měi lì
薇花那美丽

de huā bàn   yě
的 花 瓣，也

47

没有蔷薇花那诱人的香气。因此，鸡冠花很羡慕蔷薇花。

有一天，鸡冠花对蔷薇花说："你是世界上最美丽的花朵，人们都那么喜爱你。而我却没有你那漂亮的颜色和芬芳的香味，我真的太羡慕你了。"

蔷薇花回答道："鸡冠花啊，我的美丽仅仅是昙花一现，即使人们不来摘我，我也会很快凋零的。而

你却是能够长久开放的花，生命力旺盛。你应该羡慕自己才对啊！"

情商启迪

每个人都有自己的特质，有长处也有短处。没有谁是完全值得你去羡慕的，羡慕他人的同时，请不要忘了欣赏自己。增强自己的信心，让自己活得快乐一点，这份享受就已经足够让别人来羡慕了。

橡树的使命

有一个美丽的花园，里面长满了苹果树、橘子树、梨树和玫瑰花，它们都幸福而满足地生活着。

花园里的所有成员都是那么快乐，唯独一棵小橡树愁容满面。可怜的小家伙被一个问题困扰着，那就是，它不知道自己能做什么。

苹果树认为它不够勤奋，说："如果你真的努力了，一定会结出美味的苹果，你看多容易！"

玫瑰花说："别听它的，能开

出玫瑰花来才好，你看我多漂
亮！"失望的小树按照它们
的建议拼命努力，但它越想和别人一
样，就越觉得自己失败。

一天，鸟中的智者雕来到了花
园，听说了小树的困惑后，它说："你
不要把生命浪费在去变成别人希望你成为的样子
上，你就是你自己。你永远都结
不出苹果，因为你不是苹果树；你

也不会每年每天都开花，因为你不是玫瑰。你是一棵橡树，你的命运就是要长得高大挺拔，给鸟儿们栖息，给游人们遮阴，创造美丽的环境。你有你的使命，去完成它吧！"说完，雕就飞走了。

小树自言自语道："做我自己？"突然，小树茅塞顿开，顿觉浑身上下充满了力量和自信，它开始为实现自己的目标而努力。很快它就长成了一棵大橡树，填满了属于自己的空间，赢得了大家的尊重。

从此，花园里的每一个生命都快乐地生活着。

情商启迪★

在生活中，所有人都有自己需要完成的使命和属于自己的位置。小朋友，如果你不能像别人那样出众，也不要灰心，因为你不是他们，你有自己的使命。做好自己，就会得到整个世界。

心中的顽石

在一户人家的菜园里，半埋着一块儿大石头，露出土的部分大约有

40 厘米宽、10 厘米高。到菜园的人，不小心就会踢到那块大石头，不是跌倒就是擦伤。

儿子问："爸爸，为什么不把那块讨厌的石头挖走？"

爸爸这么回答："你说那块石头啊？从你爷爷时代，就一直放在那儿了。它的体积那么大，不知道埋得有多深。没事无聊挖石头，不如走路小心一点，还

kě yǐ xùn liàn nǐ de fǎn yìng néng lì
可以训练你的反应能力。"

guò le jǐ nián　zhè kuài dà shí tou liú dào le
过了几年，这块大石头留到了

xià yī dài
下一代。

yǒu yī tiān sūn zi qì fèn de shuō　yé ye　cài
有一天孙子气愤地说："爷爷，菜

yuán nà kuài dà shí tou　wǒ yuè kàn yuè bù shùn yǎn　gǎi tiān
园那块大石头，我越看越不顺眼，改天

qǐng rén bān zǒu hǎo le
请人搬走好了。"

yé ye huí dá shuō　suàn le ba　nà kuài dà shí
爷爷回答说："算了吧！那块大石

tou hěn zhòng de　kě yǐ bān zǒu de huà zài
头很重的，可以搬走的话在

我小时候就搬走了，哪会让它留到现在啊？"

孙子心底非常不是滋味，那块大石头不知道让他跌倒多少次了。

有一天早上，孙子带着锄头和一桶水来到菜园里。他先将整桶水倒在大石头的四周，再用锄头把泥土搅松。

孙子早就做好了挖一天的心理准备，可谁都没有想到的是，他竟然只用了几分钟就把石头挖了出来。原来，石头在土里只埋了浅浅几厘米，根本没有大家想象得那么深。

情商启迪 ★

阻碍我们去发现、去创造的，通常是我们心理上的障碍和思想中的顽石。你抱着下坡的想法爬山，便无从爬上山去。如果你的世界沉闷而无望，那是因为你自己沉闷无望。改变你的世界，必须先改变你自己的心态。

一只丑小鸭

沼泽地里飞来了两只野鸭子，大的是妈妈，小的是娃娃。小鸭子从来没到过这地方，感到挺新奇，便到处闲逛。住在这儿的一群小蛤蟆，从来没见过鸭子，觉得挺新鲜，便叽里咕噜议论开来："瞧啊，嘴

55

ér biǎnbiǎn　　zǒu lù bǎi bǎi　　chǒu sǐ la
儿扁扁，走路摆摆，丑死啦！"

　　　xiǎo yā zi dì yī cì tīng bié rén shuō tā chǒu　shāng xīn de pǎo huí qu wèn
　　小鸭子第一次听别人说它丑，伤心地跑回去问

mā ma　　mā ma yòng zuǐ shū lǐ zhe tā de yǔ máo　　fǎn wèn dào　　nǐ kàn
妈妈。妈妈用嘴梳理着它的羽毛，反问道："你看，

mā ma zhǎng de chǒu ma
妈妈长得丑吗？"

　　　xiǎo yā zi wāi zhe tóu kàn le hǎo jiǔ　gāo xìng de shuō　　mā ma bù
　　小鸭子歪着头看了好久，高兴地说："妈妈不

chǒu　　mā ma bù chǒu
丑！妈妈不丑！"

　　　duì le　　mā ma bù chǒu nǐ yě bù
　　"对了，妈妈不丑你也不

chǒu　　yā zi ma　　zhǎngxiàng jiù shì zhèyàng
丑。鸭子嘛，长相就是这样，

nǐ yào yǒu zì xìn a
你要有自信啊！"

　　　xiǎo yā zi yòng lì diǎndian tóu
　　小鸭子用力点点头。

cóng cǐ　　tā xiàngcóngqián yī yàng bǔ zhuō
从此，它像从前一样捕捉

chóng zi　　diāo chī yú xiā　　xiàngcóngqián yī yàng gā gā chàng gē　　yáo yáo bǎi
虫子、叼吃鱼虾，像从前一样嘎嘎唱歌、摇摇摆

bǎi zǒu lù　　yī tiān yòu yī tiān　　jī li gū lū de yì lùn shēng shǎo le　　yòu
摆走路。一天又一天，叽里咕噜的议论声少了。又

guò le xiē rì zi　　cháng qī jū zhù zài zhè er de há ma bù zài yì lùn le
过了些日子，长期居住在这儿的蛤蟆不再议论了。

有那么一天，小鸭子又大摇大摆地走过来了。一只蛤蟆突然大叫起来："嗬，你们看那只小鸭子，它扁扁的嘴巴好像在微笑，摇摇摆摆走路的姿势好神气！"四周的蛤蟆也都惊讶地说："是啊，是啊，它一点儿也不丑嘛！"

小鸭子听了高兴地笑起来，这笑容是那样的灿烂，那样的自信。

情商启迪 ★

这只小鸭子是多么聪明啊！只管走自己的路吧，时间一长，那些闲言碎语自然就会消失的。你还是你自己，并且照样会长大。要记住，无论别人如何评价你，你都要对自己有自信，只有这样，才能获得别人的肯定。

针眼儿

针眼儿很小，比纽扣眼儿还小。纽扣眼儿瞧不起它，还笑话它："小针眼儿，小心眼儿！"针眼儿一点儿也不生气，说："我虽然小，可是有一孔空间，

能系一根彩线，连接美好的生活。"

纽扣眼儿听了，好半天才小

声说："不管怎样，你要

是能再大一点儿，总比这

么小的好。"这时，主人用针把扣子钉在衣服上。针

眼儿对扣眼儿说："你看，如果我再大一点儿，怎么

能通过你呢？"

世界上不论什么东西，它的价值都不在于它本

身的大小。没有用的，再大也是废物；而有用的，再

小也是珍宝。

情商启迪 ★

无论是谁，都应该充满自信，相信"天生我材必有用"。不能因为自己的渺小而妄自菲薄，要用实际行动证明自己的价值。正如文中的小针眼儿，面对扣眼儿的嘲笑，依然能够从容面对。

智慧取胜

有一天，一个人到森林里去砍柴。一只熊走了过来，说："喂，人类，让我们较量较量，好吗？"

砍柴人瞧了熊一眼，暗暗想道：好大一只熊啊，我怎么能和它较量呢！只要它用爪子拍我一下，我就没命啦！想到这里，砍柴人嘿嘿笑着说：

"我同你较量什么呢？这样吧！你让我先看一下，

你是否有力气，否则我们怎么较量呢。"你要怎么看呢？"熊问道。

砍柴人拿起斧子，在树桩上砍了几下，在树桩裂缝处嵌进去一个楔子，说道："你能用爪子将这树桩撕裂，就说明你有力气。到那时候我再与你比试。"

"好吧！"熊想了想，就把爪子插进

le shù zhuāng de liè fèng li kǎn chái rén lián máng yòng
了树桩的裂缝里。砍柴人连忙用

fǔ bèi duì zhǔn xiē zi hěn hěn de qiāo le yī
斧背对准楔子，狠狠地敲了一

xià xiē zi bèi dǎ diào le shù zhuāng de
下。楔子被打掉了，树桩的

liè fèng jǐn jǐn de jiā zhù le xióng zhuǎ zi
裂缝紧紧地夹住了熊爪子。

xióng téng de háo jiào qǐ lai ér zhuǎ zi
熊疼得嚎叫起来，而爪子

què zěn me yě bá bu chū lái
却怎么也拔不出来。

zěn me yàng kǎn chái rén shuō nǐ hái tóng wǒ jiào liàng ma xióng
"怎么样？"砍柴人说，"你还同我较量吗？"熊

kū sang zhe liǎn shuō bù wǒ bù gǎn le kǎn chái rén shuō bǐ shi bù
哭丧着脸说："不！我不敢了。"砍柴人说："比试不

jǐn shì kào lì qi hái děi kào zhì huì zài jiàn ba xióng xiānsheng
仅是靠力气，还得靠智慧。再见吧，熊先生。"

情商启迪★

遇事多动脑筋，积极思考，就能找到解决问题的办法。砍柴人在体力上肯定斗不过一头强壮的熊，但运用智慧却能战胜蛮力。

62

独立自强 篇

当我们开始有独立意识，成长就真正开始了。

本章故事意在通过精彩的寓言、真实的故事，

帮助小朋友迈出练习独立第一步，获得自立生活的新鲜体验。

别人的路

yī gè rén yào chuān guo zhǎo zé dì　　yīn wèi méi
一个人要穿过沼泽地，因为没

yǒu lù　biàn shì tàn zhe zǒu　suī hěn jiān xiǎn　dàn tā
有路，便试探着走。虽很艰险，但他

zuǒ kuà yòu tiào　　jìng yě néng zhǎo chu yī duàn lù
左跨右跳，竟也能找出一段路

lai　kě hǎo jǐng bù cháng　wèi zǒu duō yuǎn
来。可好景不长，未走多远，

tā jiù bù xiǎo xīn yī jiǎo tà jin wú
他就不小心一脚踏进无

dǐ de làn ní li　chén le xià qù
底的烂泥里，沉了下去。

yòu yǒu yī
又有一

gè rén yào chuān guo
个人要穿过

zhǎo zé dì　　tā
沼泽地，他

看到前人的脚印，便想：这一定是有人走过，沿着别人的脚印走一定不会有错。他用脚试着踏去，果然实实在在，于是便放心走下去，最后也一脚踏空沉入了烂泥。

……

又有一个人要穿过沼泽地，他看着前面众人的脚印，心想：已有这么多人走了过去，沿此走下去我也一定能走到沼泽的彼端。于是他大踏步地走去，最后也沉入了烂泥。

情商启迪

　　世上的路，不是走的人越多就越平坦、越顺利。沿着别人的脚印走，不仅走不出新意，有时还可能会跌进陷阱。具有独立思考意识和能力的人，不仅能够走出生命中的沼泽，同时还会拥有一片广阔的天地。小朋友们，让我们来领悟独立、自立的意义吧。

打开一扇心窗

很久以前,在意大利的庞贝古城里,一个叫莉蒂雅的女孩儿出生在一个普通的人家。

莉蒂雅长得很可爱,不幸的是她自小双目失明,看不见五彩缤纷的世界,但是她并没有怨天怨地,也没有垂头丧气,反而热爱生活,对生活充满信心和希望。

稍稍长大后，
她没有靠别人
的帮助，而是
像其他人一样
自食其力，靠卖花维持生活。

不久，维苏
威火山爆发，
一瞬间，整个庞贝城都被笼
罩在充满了浓烟、尘埃、
火山灰的黑暗世界里。人
们惊慌失措，跌
跌撞撞，根
本逃不出去，
好像跌入了人间地狱。

"大家别慌，都跟着我走！"黑暗中忽然传来了莉蒂雅沉着的声音。

莉蒂雅虽然看不见，但这些年来，她走街串巷在城里卖花，对城市的各条道路了如指掌。

最后，她靠着自己的触觉找到了生路，不但救了自己的家人，还救了许多市民。

莉蒂雅虽然双目失明，可是她的意志，却为她打开了一扇光明的心窗。

情商启迪 ★

　　有时候，失去也是一种获得。莉蒂雅失明的不幸反而成了她的大幸，她通过自己的努力，不仅能独立地生活，还利用自己的优势，挽救了自己和他人的生命，这不能不说是生命的奇迹。

滴水成金

"发现金矿啦！森林里发现金矿啦！"

森林里发现金矿的消息传开了，所有动物都涌到森林的深处淘金，小金毛狗贝贝也是其中的一员。一时间，森林深处变成了拥挤的淘金场，由于大家蜂拥而来，使得这里的日常用水顿时紧缺起来，条件变得十分艰苦。并且，大多数动物并没有淘到金子，贝贝也没有收获。不过，细心的贝贝却发现远处的山上有一条溪水，水质甘甜、清凉解渴。于是，贝贝突发奇想，在山脚下挖了一条水渠，积水成塘。接着，贝贝将清水装进小木桶里，每天跑几公里的路，到森林深处去卖水。

淘金的动物们纷纷嘲笑贝贝放着金子不淘，却去卖水。一桶水才几元钱，哪有一块儿金子值钱啊！面对大家的嘲笑，贝贝没有放弃，始终坚持卖他的水。许多年过去了，大部分来淘金的动物都空手而归，而贝贝却赚到一笔不小的财富，满载而归。

情商启迪 ★

贝贝独立思考，并靠坚定的意志，独自开辟出一条水渠。最终，在其他动物一无所获时，自己满载而归。小朋友们，你们得到的启发是什么呢？

发明盲文的布莱叶

布莱叶是一个盲人发明家。3岁的时候，他因为玩一个钻子，不小心一下子把眼睛捅瞎了。从此，他的眼前就一片黑暗。

等布莱叶懂事了，他并不悲观失望，而是决心顽强地生活，创造自己的美好世界。

10岁那年，小布莱叶获得了在巴黎皇家盲童学校学习的机会，并成为班上出类拔萃的学生。

但有一件事让他很不满意：课

běn shang de zì mǔ yòng de shì tū yìn fǎ　yòng shǒu chù mō　róng yì gǎo cuò
本上的字母用的是凸印法，用手触摸，容易搞错，

ér qiě sù dù màn　dú yī běn shū děi huā shang jǐ gè yuè de shí jiān
而且速度慢，读一本书得花上几个月的时间。

　　suì nà nián　bù lái yè tīng dào yī gè guān yú　　yè zì　　de gù
　　12岁那年，布莱叶听到一个关于"夜字"的故

shi　nà shì shì bīng men yòng tiě bǐ zài hòu zhǐ bǎn shang záo chu tè dìng de tū diǎn
事。那是士兵们用铁笔在厚纸板上凿出特定的凸点，

dài tì wén zì　　shì bīng yè jiān mō le　biàn zhī dào shàng jí chuán dá de mìng lìng
代替文字，士兵夜间摸了，便知道上级传达的命令。

　　bù lái yè tīng le yǐ hòu　dòng nǎo jīn zǐ xì zuó mo　fā
　　布莱叶听了以后，动脑筋仔细琢磨，发

xiàn zhè zhǒng　yè zì　hái yǒu quē xiàn
现这种"夜字"还有缺陷。

tā zhǐ néng biǎo dá jiǎn duǎn de zì jù
它只能表达简短的字句，

gēn jù shǒu zhǐ chù gǎn bù tóng de tū diǎn
根据手指触感不同的凸点，

fēn biàn chu zì mǔ zài zǔ chéng
分辨出字母再组成

cí　shí zài tài màn yě tài nán
词，实在太慢也太难。

dàn shì tā fā xiàn　yòng tū diǎn
但是他发现，用凸点

bǐ zhí jiē yòng zì mǔ lái
比直接用字母来

zuò máng wén gāo míng
做盲文高明。

从此，无论走到哪里，他手里都拿一支铁笔，往厚纸板上凿点点……布莱叶决心改进"夜字"，找到真正能让盲人阅读、写字的方法。可是一年过去了，艰苦的试验仍没有结果。

后来，他想，"夜字"以发音为基础，何不将点与字母相联系呢？字母才26个呀！布莱叶找到了"钥匙"，就更加努力地试验。

最后，他以6个点为一组，终于完成了新发明的字母表。有了这6字点为一组的字母表，认字又快又容易。盲人也能写字，记日记，读有趣的书了！

情商启迪★

布莱叶是不幸的，但他却顽强地靠自己的力量，战胜了不幸。这样的考验对于他来说，也许可以算得上是一种财富。他依靠自己的智慧和努力，不仅为自己，也为所有的盲人带来了心灵上的阳光。

"飞翔"的蜘蛛

有一天，一只黑蜘蛛在后院的两个屋檐之间结了一张很大的网，捕捉到很多猎物。

人们都很好奇，难道蜘蛛会飞？从这个屋檐头到那个屋檐头，中间有两米多宽，第一根丝是怎么拉过去的？后来，人们发现，原来蜘蛛走了许多弯路。它从一个屋檐头起，打结，顺墙而下，一步一步向前爬，小心翼翼，翘起尾部，不让丝沾到地面的沙石或别的物体上，走过空地，再爬上对面的屋檐头，高度差不多了，再把丝收紧。这样，第一根蛛丝就有了。

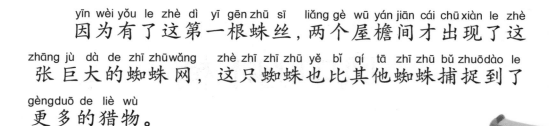

yīn wèi yǒu le zhè dì yī gēn zhū sī liǎng gè wū yán jiān cái chū xiàn le zhè
因为有了这第一根蛛丝，两个屋檐间才出现了这

zhāng jù dà de zhī zhū wǎng zhè zhī zhī zhū yě bǐ qí tā zhī zhū bǔ zhuō dào le
张巨大的蜘蛛网，这只蜘蛛也比其他蜘蛛捕捉到了

gèng duō de liè wù
更多的猎物。

情商启迪 ★

蜘蛛不会飞翔，但它能够把网结在半空中。在蜘蛛的世界里，没有伙伴能帮它，它只能依靠自己的力量，将第一根蛛丝拉到对面屋檐上。如果没有这第一步，蜘蛛永远都结不出那张硕大的网。正是它的独立、勤奋和坚毅，让这个不可能变为了可能。

风中的木桶

一个黑人小孩儿在他父亲的葡萄酒厂看守橡木桶。每天早上，他都要用抹布将一个个木桶擦拭干净，然后一排排整齐地摆放好。令他生气的是：往往一夜之间，风就把他排列整齐的木桶吹得东倒西歪。

小男孩儿很委屈地哭了。父亲摸着男孩儿的头说："孩子，别伤心，我们可以想办法去征服风。"

于是小男孩儿擦干了眼泪，坐在木桶边想啊想啊，想了半天终于想出了一个办法。他去井边挑来一桶一桶的清水，把它们倒进那些空空的橡木桶里，

rán hòu tā jiù tǎn tè bù ān
然后他就忐忑不安

de huí jiā shuì jiào le
地回家睡觉了。

dì èr tiān tiān
第二天，天

gāng mēng mēng liàng xiǎo
刚蒙蒙亮，小

nán hái er jiù cōngcōng pá
男孩儿就匆匆爬

le qǐ lái tā pǎo dào
了起来。他跑到

fàngtǒng de dì fang yī kàn
放桶的地方一看，

nà xiē xiàng mù tǒng yī gè gè pái liè de zhěngzhěng qí qí méi yǒu yī gè bèi fēng
那些橡木桶一个个排列得整整齐齐，没有一个被风

chuī dǎo yě méi yǒu yī gè bèi fēng chuī wāi xiǎo nán hái er gāo xìng de xiào le
吹倒，也没有一个被风吹歪。小男孩儿高兴地笑了，

tā duì fù qīn shuō mù tǒng yào xiǎng bù bèi fēngchuī dǎo jiù yào zēng jiā zì jǐ
他对父亲说："木桶要想不被风吹倒，就要增加自己

de zhòngliàng nán hái er de fù qīn zàn xǔ de wēi xiào le
的重量。"男孩儿的父亲赞许地微笑了。

情商启迪 ★

我们改变不了风，改变不了这个世界上的许多东西，但是我们可以改变心灵的"重量"，这样我们就可以稳稳地在这个世界上生存下去了。给自我加重，勇敢面对考验和挑战，这是一个人不被困难困住的最好方法。

鹤的耳朵

一大早，鹤就爬起来，拿起针线要给自己的白裙子绣一朵花。刚绣了几针，孔雀过来问她："鹤妹，你绣的是什么花呀？"

"绣的是桃花。"

"咳，干吗要绣桃花？桃花是易落的花，不吉祥，还是绣朵月月红吧！"鹤听了孔雀姐姐的话，觉得有理，便把绣好的金线拆了，

78

改绣月月红。正绣得入神，只听锦鸡在耳边说："鹤姐，月月红花瓣太少了，显得有些单调，我看还是绣朵大牡丹吧，牡丹是富贵花呀！"鹤觉得锦鸡妹妹说得对，便又把绣好的拆了，重新开始绣牡丹。绣了一半，画眉飞过来，在头上惊叫道："鹤嫂，你爱在水塘里栖歇，应该绣荷花才是，为什么要去绣牡丹呢？这跟你的习性太不协调了！"鹤听了，觉得也是，便又把牡丹拆了改绣荷花……

就这样，每当鹤快绣好一朵花时，总有人提不同的建议。她绣了拆，拆了绣，白裙子直到现在还是没有被绣上任何花朵。

情商启迪 ★

鹤没有自己的主见，结果无法给白裙子绣上任何花。也对于现实中不独立思考的人来说，事事顺从他人，最终的结果也是一无所获。

蝴蝶的挣扎

有个小男孩儿在公园里的树枝上，看到一个蝴蝶的茧。他发现这个茧上面有个小裂缝，就坐下来观察它。茧中的蝴蝶挣扎着要从小孔里把身体挤出来，但几个钟头过去了，蝴蝶看起来已经尽了最大力气，却仍然挣脱不出来。这个小男孩儿决定帮蝴蝶一把。

他拿了一把剪刀，轻轻地把茧剪开，蝴蝶很容易就脱身了。但奇怪的是，这只蝴蝶的身体肿胀，翅膀皱缩在一起。小男孩儿继续观察蝴蝶，他希望能

看到蝴蝶的翅膀变大张开，把身体撑住飞起来。但事与愿违，这只蝴蝶一直用臃肿的身体和畸形的翅膀爬行

着，它根本无法飞起来，不久就死了。

小男孩儿在同情心的驱使下，自以为帮了蝴蝶的忙，却不知蝴蝶必须经过痛苦的挣扎，通过钻出茧上小孔的过程，来迫使身体里的体液流到翅膀里，让翅膀被撑开，才能在脱离茧壳后展翅飞翔。脱茧而出前的挣扎，正是蝴蝶成长所必须经历的过程。而别人帮助蝴蝶脱困，反而是害了它。

情商启迪★

挫折、困顿和挣扎是每个人在成功前必须独立通过的考验，任何人都无法帮助或代替，那些毫不费力得到的东西，并不能真正帮助自己获得真本领。

会跳舞的壶盖

詹姆斯·瓦特是英国著名的发明家，他出生于1736年，从小便是一个聪明懂事的好孩子。

有一天，爸爸带着小瓦特到朋友家做客。朋友高兴极了，连忙烧水沏茶，与瓦特的爸爸聊了起来，小瓦特便坐在炉子边听大人们讲话。炉子上的水壶渐渐热了，随着沸腾的水花，壶盖被水蒸气顶得"啪啪"直响，不停地向上跳动。小瓦特对此产生了强烈的好奇心，他目不转睛地盯着壶盖。

瓦特琢磨了好一会儿，想不出其中是什么道理，便打断大人们的谈话，问道："爸爸，为什么水开了壶盖就会跳动呢？"

爸爸看了一眼满脸认真的小瓦特，无奈地解释说："水开了壶盖自然会向上跳啊！"

"可是，壶盖为什么会向上跳呢？是

什么东西把壶盖顶上去的呢？"

爸爸回答不出小瓦特的问题，只好让小瓦特到院子里去玩耍。小瓦特哪有心思去玩耍啊，他整个脑袋都在想着刚才的问题。

回到家里，一连几天小瓦特都坐在炉子边仔细观察。每当水快开时，他就打开壶盖，只见水中一串串气泡直往上翻腾，然后变成蒸汽冒出水面，冲出壶口。小瓦特又盖上壶盖，蒸汽冒不出来了，攒足了力气要往外冲，这时，壶盖就被掀得直往上跳。

"噢，我明白了！我明白了！"小瓦特手舞足蹈，又跳又蹦，冲进爸爸的书房。

原来是蒸汽使得壶盖向上跳！小瓦特把自己的发现告诉了爸爸。爸爸不禁欣慰地笑了，直夸小瓦特是一个爱动脑筋的好孩子。

接着，小瓦特又想，水壶里的蒸汽能推动壶盖，说明它有一定向上的力量，如果用一个更大的锅来烧开水，产生的蒸汽就会更多，不就可以推动更重的物体了吗？在爸爸的鼓励和支持下，小瓦特开始学习和研究机械制造技术。经过多次试验，多年以后，瓦特终于发明了先进的新式蒸汽机。

情商启迪 ★

小瓦特通过不断的思索，不懈的努力，在水壶里的水蒸气的启发下，发明了蒸汽机。小朋友们也要养成独立思考，做事坚持到底的好习惯呦。

鸡与大蟒蛇

在一个动物园里有一条大蟒蛇，

饲养员经常用各种家禽喂它。

这天，饲养员又把一只鸡关进了

大蟒蛇的笼子里。

这只鸡遭到这

飞来横祸，却

并没有像其他家

禽一样束手就擒，而是为

自己的生命抗争起

来。只见这只勇敢的鸡狠狠地对着大蟒蛇的头部啄去，同时在笼子里灵巧地飞跳着，时不时找机会对大蟒蛇一顿猛啄。大蟒蛇眼睛都睁不开了，暴躁地在笼子里横冲直撞，却根本拿鸡没办法。一个小时以后，大蟒蛇终于死在了这只小鸡的尖嘴之下。

第二天，饲养员发现了死去的大蟒蛇和活蹦乱跳的小鸡。他又吃惊又感动，最后把这只勇敢的鸡放走了。

情商启迪★

小鸡没有依靠任何帮助，完全凭借自己的力量战胜了大蟒蛇，它的勇敢、自立让我们不得不深深佩服。小朋友们，你们是不是也认识到独立、自立的可贵呢？

87

咀嚼过的苹果不能吃

yī gè xué shēng qǐng jiào tā de lǎo shī zěn yàng
一个学生请教他的老师，怎样

zuò cái nénggòu xué huì lǎo shī suǒ yǒu de zhì huì
做才能够学会老师所有的智慧？

lǎo shī xiào le xiào cóng
老师笑了笑，从

zhuō zi shang ná qi le yī gè
桌子上拿起了一个

píng guǒ fàng dào zuǐ biān dà
苹果，放到嘴边，大

dà de yǎo le yī kǒu
大地咬了一口。

lǎo shī wàng zhe tā
老师望着他

de xué shēng kǒu
的学生，口

zhōng bù duàn jǔ jué zhe
中不断咀嚼着

píng guǒ bù fā yī yán guò le hǎo yī huì
苹果，不发一言。过了好一会

er lǎo shī cái yòu zhāng kai zuǐ jiāng kǒu zhōng
儿，老师才又张开嘴，将口中

yǐ jīng jiáo làn de píng guǒ tǔ zài shǒu zhǎng dāng zhōng
已经嚼烂的苹果，吐在手掌当中。

lǎo shī shēn chu shǒu jiāng yǐ jīng jiáo làn de píng guǒ ná dào xué shēng miàn qián
老师伸出手，将已经嚼烂的苹果拿到学生面前，

rán hòu duì zhe xué shēng shuō lái bǎ zhè xiē chī xia qu xué shēng jīng
然后对着学生说："来，把这些吃下去！"学生惊

huāng de shuō lǎo shī zhè zhè zěn me néng chī ne
慌地说："老师，这……这怎么能吃呢！"

lǎo shī yòu xiào le xiào shuō wǒ jǔ jué guo de píng guǒ nǐ dāng rán
老师又笑了笑，说："我咀嚼过的苹果，你当然

zhī dào bù néng chī dàn shì wèi shén me yòu xiǎng yào jí qǔ wǒ de zhì huì jīng
知道不能吃。但是，为什么又想要汲取我的智慧精

huá ne nǐ nán dào zhēn de bù dǒng suǒ yǒu de xué xí dōu bì xū jīng guò nǐ
华呢？你难道真的不懂？所有的学习，都必须经过你

qīn zì qù jǔ jué de
亲自去咀嚼的。"

情商启迪 ★

苹果新鲜而甜美的滋味，是需要由你自己来品尝、体会的。学习的过程，除了你自己，没有任何人可以代劳。只有自己不断反省、思考，才会获得宝贵的经验。小朋友们，现在你们知道该如何获得知识了吧。

靠自己

小蜗牛问妈妈："为什么我们从生下来，就要背负这个又硬又重的壳呢？"

妈妈回答："因为我们的身体没有骨头支撑，只能爬，又爬不快，所以要这个壳的保护！"

小蜗牛又问："毛虫姐姐没有骨头，也爬不快，为什么她却不用背这个又硬又重的壳呢？"

妈妈和蔼地回答："因为毛虫姐姐能变成蝴蝶，天空会保护她啊。"

小蜗牛想了想又问道："可是蚯蚓弟弟也没骨头

pá bù kuài　　yě bù huì biànchéng hú dié
爬不快，也不会变成蝴蝶，

tā wèi shén me bù bēi zhè ge yòu yìng
他为什么不背这个又硬

yòu zhòng de ké ne
又重的壳呢？"

　　mā ma gào su xiǎo wō niú
　　妈妈告诉小蜗牛：

yīn wèi qiū yǐn dì di huì zuān tǔ　　dà
"因为蚯蚓弟弟会钻土，大

dì huì bǎo hù tā a
地会保护他啊。"

　　xiǎo wō niú kū le qǐ lái　　　wǒ
　　小蜗牛哭了起来："我

men hǎo kě lián　　tiān kōng bù bǎo hù　　dà
们好可怜，天空不保护，大

dì yě bù bǎo hù
地也不保护。"

　　wō niú mā ma xiào le xiào　　ān wèi tā　　　suǒ yǐ wǒ men yǒu ké a
　　蜗牛妈妈笑了笑，安慰他："所以我们有壳啊！

wǒ men bù kào tiān　　yě bù kào dì　　wǒ men kào zì jǐ
我们不靠天，也不靠地，我们靠自己。"

情商启迪★

　　小蜗牛最终找到了生活的答案，那就是凡事靠自己，用自身的能力，独立地应对外界的困难和危险。小朋友们，相信你们也能像小蜗牛一样，成为一个独立自主的人。

可怜的小花猫

从前有一只小花猫，他事事都要依赖猫妈妈，穿衣服要猫妈妈给他穿，吃饭要猫妈妈给他喂，洗澡要猫妈妈给他洗。

有一天，小花猫的外婆生病了，猫妈妈要去很远的地方看望外婆，但是路很不好走，猫妈妈不能带小花猫一起去。于是，猫妈妈打算让小花猫独自生活几天。可是，猫妈妈

zǒu le shéi gěi xiǎo huā māo wèi fàn ne zuì hòu māo mā
走了，谁给小花猫喂饭呢？最后，猫妈

ma xiǎng chu le yī gè hǎo bàn fǎ tā
妈想出了一个好办法，她

gěi xiǎo huā māo lào le yī zhāng hěn
给小花猫烙了一张很

dà hěn dà de bǐng zú gòu xiǎo
大很大的饼，足够小

huā māo chī hǎo jǐ tiān māo mā ma hái tè
花猫吃好几天。猫妈妈还特

dì bǎ bǐng guà zài xiǎo huā māo de bó zi shang tā yào shi è le zhǐ yào yī
地把饼挂在小花猫的脖子上，他要是饿了，只要一

dī tóu jiù néng chī dào bǐng le
低头，就能吃到饼了。

māo mā ma zǒu hòu xiǎo huā māo zhǐ yào è le jiù dī tóu chī bǐng yǎn qián
猫妈妈走后，小花猫只要饿了就低头吃饼。眼前

de bǐng hěn kuài jiù chī wán le kě shì tā què bù huì dòng shǒu jǔ qi bǐng děng
的饼很快就吃完了，可是他却不会动手举起饼。等

dào māo mā ma huí jiā shí xiǎo huā māo yǐ jīng è yūn le tā bó zi shang de
到猫妈妈回家时，小花猫已经饿晕了，他脖子上的

bǐng zhǐ chī le yǎn qián de yī diǎn er
饼只吃了眼前的一点儿。

情商启迪 ★

如果小花猫有一点儿自立精神，就不会饿晕了。小朋友们，你们都不希望成为小花猫吧？那么，让我们从小做起，成为一个自立的人。

老鹰的再生

老鹰是世界上寿命最长的鸟类，可以活到70岁。据说，要活那么长的寿命，它在40岁时必须做出困难却重要的决定。

当老鹰活到40岁时，它的爪子开始老化，无法有效地抓住猎物。它的喙变得又长又弯，几乎碰到胸膛。它的翅膀变得十分沉重，因为它的羽毛长得又浓又厚，使得飞翔十分吃力。

老鹰只有两种选择：等死，或经过一个十分痛苦的更新过程。它必须很努力地飞到悬崖上筑巢，

在那里停留 150 天左右。首先，老鹰用它的
喙击打岩石，直到喙完全脱落，然
后静静地等候新的喙长
出来。接着，它会用新
长出的喙把指甲一根一
根地拔出来。当新的指
甲长出来后，它便把羽
毛一根一根拔掉。

5 个月以后，新的羽毛也长出来了。老鹰开始飞

翔，重新得以再过 30 年的岁月！

情商启迪 ★

　　不是所有老鹰都能活到 70 岁，因为不是每只老鹰都能独立地去为重生做努力。在我们的生命中，有时候我们也必须依靠自己的力量，让自己获得重生的机会。所以，当没有任何人能帮上忙时，我们唯有依靠自己。

两个和尚

有两个和尚，分别住在相邻两座山上的庙里。这两座山之间有一条小溪，两个和尚每天挑水时都会在溪边碰面，久而久之就成了好朋友。

不知不觉，五年的时间过去了。有一天，左边山上的和尚没有下山挑水，右边山上的和尚心想：他大概睡过头了吧。可是，第二天，第三天……一个月过去了，左边山上的和尚仍然没有出现。右边山上的和尚开始担心他的朋友，于是他爬上左边的山。

当到达庙里的时候，他看到他的朋友正在打拳，一点儿也不像生病的样子。他好奇地问道："为什么你一个月都没有下山挑水？"

左边山上的和尚笑了。他指着院子里的一口井说："这五年来，我每天都会抽时间挖这口井。一个月前，这口井终于出水了。我不必再把时间花在下山挑水上，而是可以练习我喜欢的武术了。"

情商启迪★

左边山上的和尚懂得长远打算，他通过有计划的劳动，让自己不用下山就能喝上水，又节约了时间。而在生活里，大部分人都像右边山上的和尚一样墨守成规，不知创新和改变。小朋友们，相信你们都愿意应用智慧，创造幸福的生活。

两棵大树

院子里有两棵树，一棵因为有高墙的庇护，长得高大挺拔，从容秀丽。而另一棵树却大不一样，由于没有任何可以遮挡风雨的东西，完全要自己去承受风雨的袭击，它不得不随风生存，久而久之树干也就长得弯曲斑驳，非常难看。

xià tiān　　yī cháng hǎn jiàn de tái fēng hū xiào
夏天，一场罕见的台风呼啸

ér lái　　tái fēng guò hòu　　rén men bèi yǎn qián
而来。台风过后，人们被眼前

de qíng xíng zhèn zhù le　　gāo qiáng dǎo tā
的情形震住了：高墙倒塌

le　　nà kē xiù lì de dà shù yě
了，那棵秀丽的大树也

qí yāo zhé duàn　　zài kàn kan nà kē
齐腰折断。再看看那棵

wān qū bān bó de lǎo shù
弯曲斑驳的老树，

suī rán yòu qīng xié le yī xiē　　dàn què yī jiù ào rán tǐng lì
虽然又倾斜了一些，但却依旧傲然挺立。

rén men bù jīn gǎn tàn dào　　hái shi zhè kē méi yǒu gāo qiáng de bǎo hù
人们不禁感叹道："还是这棵没有高墙的保护、

bǎo jīng fēng yǔ de lǎo shù zhǎng de jiē shi a
饱经风雨的老树长得结实啊！"

情商启迪★

老树因为在风雨中磨炼了独立生存的能力，所以在台风面前才能傲然挺立。人也是一样，如果一味寻求庇护，那么在真正的困难面前，就往往会不堪一击。无论是人还是树，最终都要依靠自己，独立面对风雨和艰险。

两只乌鸦

wū yā xiōng dì liǎ tóng zhù zài yī gè wō li yǒu yī
乌鸦兄弟俩同住在一个窝里。有一

tiān wō pò le yī gè dòng dà wū yā xiǎng
天，窝破了一个洞。大乌鸦想：

lǎo èr huì qù xiū de xiǎo
"老二会去修的。"小

wū yā xiǎng lǎo dà huì qù xiū de
乌鸦想："老大会去修的。"

jié guǒ shéi yě méi yǒu qù xiū hòu
结果谁也没有去修。后

lái dòng yuè lái yuè dà le
来，洞越来越大了。

dà wū yā xiǎng zhè xià lǎo èr yī
大乌鸦想："这下老二一

dìng huì qù xiū le wō dōu zhè yàng pò le
定会去修了，窝都这样破了，

tā hái néng zhù xiǎo wū yā xiǎng zhè xià
它还能住？"小乌鸦想："这下

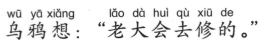

老大一定会去修了，窝都这样破了，难道它还能住吗？"

结果又是谁也没有去修。

一直到了寒冷的冬季，西北风呼呼地刮着，大雪纷纷飘落。乌鸦兄弟俩都蜷缩在破窝里，哆嗦地叫着："冷啊！冷啊！"

大乌鸦想："这样冷的天气，老二一定耐不住，它一定会去修的。"小乌鸦想："这样冷的天气，老大还耐得住吗？它肯定会去修的。"

于是，它们谁也没有动手，只是把身子蜷缩得更紧些。风越刮越凶，雪越下越大。结果，窝被风吹到地上，两只乌鸦都冻僵了。

情商启迪 ★

怨人不如自怨，求之于人不如求之于己。独立不是件坏事情，凡事应该多自己动手动脑，不能依赖和懒惰，否则是没有好结果的。

龙虾和寄居蟹

duì yú nà xiē hài pà wēi xiǎn de rén　　wēi xiǎn wú chù bù zài
对于那些害怕危险的人，危险无处不在。

yǒu yī tiān　lóng xiā yǔ jì jū xiè zài shēn hǎi zhōng xiāng
有一天，龙虾与寄居蟹在深海中相

yù　　jì jū xiè kàn jiàn lóng xiā zhèng bǎ zì jǐ de yìng
遇，寄居蟹看见龙虾正把自己的硬

ké tuō diào　　lòu chu jiāo nèn de shēn qū
壳脱掉，露出娇嫩的身躯。

jì jū xiè fēi cháng jǐn zhāng de shuō　　lóng
寄居蟹非常紧张地说："龙

xiā　nǐ zěn me kě yǐ bǎ wéi yī
虾，你怎么可以把唯一

bǎo hù zì jǐ shēn qū de yìng ké yě
保护自己身躯的硬壳也

fàng qì ne　　nán dào nǐ bù pà yǒu
放弃呢？难道你不怕有

dà yú yī kǒu bǎ nǐ chī diào ma　　jiù
大鱼一口把你吃掉吗？就

算没有大鱼来吃你，以你现在的情况来看，急流也会把你冲到岩石上去，到时你就死定了。"

龙虾气定神闲地回答："谢谢你的关心，但是你不了解，我们龙虾每次成长，都必须先脱掉旧壳，才能生长出更坚固的外壳。现在面对的危险，只是为了将来发展得更好而做出的准备。"

寄居蟹细心思量一下，自己整天只找可以避居的地方，而没有想过如何令自己成长得更强壮，这样每天都活在别人的庇护之下，不能独立面对艰险，难怪永远都得不到大的发展呢。

情商启迪 ★

不经历风雨，怎能见彩虹。寄居蟹总是寻求别人的庇护，所以一生都不能独立生存，也没有强健的体魄。小朋友们，相信你们都不愿做寄居蟹吧！

落井的驴子

人生必须渡过逆流才能走
向更高的层次，最重要的
是永远看得起自己。

有一天，农夫的一头驴
子掉进一口枯井里，农夫绞
尽脑汁想救出驴子，但几个
小时过去了，驴子还在井里
痛苦地哀嚎着。

最后，农夫决定放弃，

他想这头驴子年纪大了，不值得大费周章去把它救出来，但是这口井还是得填起来。于是农夫便请左邻右舍帮忙一起将井中的驴子埋了，以免除它的痛苦。

农夫和邻居们一起，开始将泥土铲进枯井中。当这头驴子了解到自己的处境时，刚开始哭得很凄惨。但不一会儿这头驴子就安静下来了。农夫好奇地往井底一看，眼前的景象令他大吃一惊：当铲进井里的泥土落在驴子的背部时，驴子将泥土抖落在一旁，然后站到泥土堆上面！

很快，这只驴子便得意地上升到井口，然后在众人惊讶的目光中快步地跑开了！

情商启迪

正如驴子的情况，在生命的旅程中，有时候我们难免会陷入"枯井"里，任由各式各样的"泥沙"倾倒在身上。而想要从这些"枯井"脱困的秘诀就是：将"泥沙"抖落掉，然后自己站到上面去！

妈妈和孩子

野樱桃树的果实成熟了。鸟儿们飞来飞去，它们啄食甜甜的野樱桃后，又把带有樱桃核的粪便撒向四面八方。于是森林里又长出许多野樱桃树。

有一株野樱桃树，不让鸟儿们吞食自己的果实。它请风不停地摇晃自己的树枝。它说，它不能忍受孩子们离开自己，被撒到不知什么地方去。终于，熟透的果实掉到地上，在野樱桃树妈妈的脚下腐烂了。

第二年，在野樱桃树妈妈的四周，长出许多小苗，野樱桃树妈妈高兴极了："哈，身前身后全是我的孩子呀！"可是，树荫下的小苗见不着阳光，很快便死去了，剩下的几棵小苗也弱不禁风。这时，野樱桃树妈妈才醒悟，不该把孩子全留在身边，应该让鸟儿带它们去远方扎根。

后来，野樱桃树妈妈再也不阻止鸟儿们来吃果实了。鸟儿们把种子带到了很远的地方，种子在远方生根发芽，都长成了和野樱桃树妈妈一样的大树。

情商启迪 ★

小樱桃树在树妈妈的庇护下无法长成大树，同样，一个人也终归是要长大的，不能一辈子都依靠在父母的臂膀之下。小朋友们，你们是不是也希望能成为一个独立而优秀的人呢？那么就从小做起，学会独立做事、独立思考吧！

免费的花生

在荷兰，罗恩是一位家喻户晓的报业大亨，他非常善于宣传。

13 岁时，他曾经在一家马戏团做过童工，负责在马戏场内叫卖小食品。不过，每次看马戏的观众并不多，买东西吃的人就更少了，马戏团的生意十分冷清。

有一天，罗恩突发奇想，

108

与马戏团老板商量，如果向每一位买票的观众赠送一包花生，就能吸引更多的观众来观看马戏。但是，顽固的老板认为这样做只会增加成本，拒绝了罗恩的建议。

"亲爱的老板，我愿意用我微薄的工资做担保，请你让我试一试，如果赔钱了，就从我的工资里面扣；如果赢利了，我只拿一半。"罗恩解释说。

听完罗恩的话，马戏团老板勉强同意了。于是，每次马戏团演出前，售票口就多了一个义务宣传员。

"快来看马戏啊！买一张票免费赠 送美味花生一包！"罗恩喊道。

在罗恩的叫卖声 中，许多人都被吸引过来买票。

当观众进场后，罗恩又卖起了饮料，因为人们吃完花生之后会有口渴的感觉，很愿意买一瓶饮料解渴。

就这样，马戏团的生意立刻好了起来，观众比往常增加了十几倍。而罗恩也赚到了他人生中的第一桶金！

情商启迪 ★

小孩子能做什么？这是很多大人常常说的一句话，而罗恩就是在13岁时利用自己的创意，赢得了人生中的第一笔财富。因此，有志不在年高，拥有独立精神的人不论在什么环境下，都有一股顽强的闯劲，凭着它定能做出一些不平凡的事来。

美丽的小花

yǒu yī duǒ ruò bù jīn fēng de xiǎo huā shēng zhǎng zài yī
有一朵弱不禁风的小花，生长在一

kē gāo sǒng de dà sōng shù xià xiǎo huā fēi cháng qìng xìng
棵高耸的大松树下。小花非常庆幸

yǒu dà sōng shù chéng wéi tā de bǎo hù sǎn wèi tā zhē
有大松树成为它的保护伞，为它遮

fēng dǎng yǔ ràng tā měi tiān kě yǐ gāo zhěn wú yōu
风挡雨，让它每天可以高枕无忧。

tū rán yǒu yī tiān lái le yī qún fá mù gōng
突然有一天，来了一群伐木工

rén liǎng sān xià de gōng fu jiù bǎ
人，两三下的工夫，就把

dà sōng shù zhěng gè jù le xià lái
大松树整个锯了下来。

xiǎo huā fēi cháng shāng xīn tòng
小花非常伤心，痛

kū dào tiān a wǒ suǒ yǒu de
哭道："天啊！我所有的

保护都失去了，从此那些嚣张的狂风会把我吹倒，滂沱的大雨会把我打倒！"

远处的另一棵树安慰它说："不要那么想，事实刚好相反。少了大树的阻挡，阳光会照耀你，甘露会滋润你。你弱小的身躯将长得更茁壮，你盛开的花瓣将一一呈现在灿烂的日光下。人们会看到你，并称赞你！"

果然，没有了大松树，小花得到了更多的阳光和雨露，同时也得到了更多的赞美，小花再也不为失去了大树的保护而伤心难过了。

情商启迪

不依靠大树的小花最美。虽然它失去了一些自以为可以长久依靠的东西，感到难过，但同时却得到了无限的机会。小朋友们，你们现在应该懂得，独立其实是一笔财富，这是锻炼我们更加坚强的最好机会。

世界上本没有路

一场大雪过后，一位年轻的父亲带着年幼的孩子走在路上。雪地上不知已被谁扫出了一条窄窄的路，很多人都规矩地沿着这条路缓缓走过。

当这父子俩也随波逐流地走在这条路上时，儿子突然离开这条路,调皮地走到没有人走过的雪地上去了。

父亲见了便呵斥道:"快回来,别人没有走过的路有危险,摔倒了怎么办?"

孩子却用稚嫩的声音回答:"爸爸,你看,我并没有摔倒,还踩出了一条自己的路呢!"

父亲一看,果然儿子身后留下了一串小小的脚印。而自己的身后,却依然是那条别人走过的路,没有留下任何痕迹。

情商启迪★

世界上本没有路,文中的小男孩儿或许会摔倒,但他的举动却告诉我们,只有独立才能走出自己的人生之路。如果你追随着别人的脚步走,或是沿着已经准备好的路走,那样也许会很平安,也没有什么风险,但与此同时,你也选择了平庸的人生。

天堂之路

有一个神甫到很远的村子里布道，一位老妇人请他帮忙寄封信，神甫想都没想便答应了。

可是，神甫找了很久都没有找到邮局。于是，他便在路边歇息。

这时迎面走来一个小男孩儿，

他便上前去打听，说："小朋友，你知道邮局怎么走吗？"小男孩儿便指给神甫，说："向南走过一座桥，再向西走，穿过一条铺石子的路，在路的尽头就是邮局。"神甫摸摸小男孩儿的头，很和蔼地说："谢谢你啊，周日你到我的教堂来吧，我会带你走上通往天堂的路。"

小男孩儿看了看神甫，很坚定地回答："算了吧，你连去邮局的路都不认识，我自己能找到天堂的。"说完便走了。

情商启迪★

有些人貌似很能干、很有学问，但实际上可能连最简单的道理都不知道。而这时我们不能盲目跟从，要有自己的分析和见解。其实，幸福是靠自己的双手去创造的，天堂也只有靠自己的双腿才能走到。小朋友们，你们是不是也希望靠自己的双手创造幸福呢？

小灰兔和它的朋友

小灰兔性格温顺，心地善良，因而结交了很多朋友。

一天，它正在芳草地上吃草，突然发现一只恶狼，惊吓得拔起腿来逃命。它刚跑了几分钟就累得要死了，躺在大道上休息喘气。

这时正好一匹骏马路过，小灰兔请求那匹骏马把它驮在背上。骏马说："对友谊来说，再重的东西

也不会觉得重。可是你知道，这样我会减慢速度。看到你这种处境我很难过，可是很对不起！还是让后边来的朋友帮助你吧。"

一头公牛路过这里，小灰兔向它求援。

"十分对不起，我有要紧事，不能帮你，不过你别着急，山羊在后面呢，马上就到。"

山羊来到这里以后说："看到你这样子，我很难过，不过我的脊背驮不了东西，会摔坏你的。你最好等一等后面的绵羊。"

绵羊来了说："我的

身体很虚弱，你还是自己走吧，我和你一样怕狼，因为狼不仅吃你也会吃我的。"

牛犊走来埋怨道："身体大又有本事的动物从这里经过，都不肯帮你，我怎么救你呢？如果我把你带走的话，这些朋友会生我的气。我想你会理解这点的，还请你原谅。我劝你，不如靠自己的努力。狼追上来啦！再见吧！"

小灰兔决心靠自己的努力，于是咬紧牙关爬起来，拖着疲惫不堪的身体跑啊跑，终于摆脱了狼的追赶。

情商启迪★

小灰兔在遇到危险时，首先想到的是找一个朋友来帮它，但朋友们各有理由，谁都不肯伸出援助之手。最后它还是靠自己的力量脱离了险境，也明白了一个道理：无论遇到什么情况，都要自信地去面对，求人不如求自己。小朋友是不是已经对独立有了一定认识？

想看大海的老鼠

有一只小老鼠想去看大海。它把这个想法告诉了同伴，同伴们听后纷纷叫道："外面的世界太危险，在你之前去看大海的伙伴们至今还没有回来，你可去不得！"可是，从未见过大海的小老鼠早已下定了决心，第二天一早，它就告别同伴，在大家依依不舍的目光下独自出发了。

果然，外面远比小老鼠想象的危险得多。小老鼠刚走到一棵树下，一只猫就突然从树后跳了出来，叫道："上天送给我多么美味的老鼠！"小老鼠吓得拼命跑，猫在后面紧追不舍。最后，小老鼠终于从猫爪下逃了出来，一截尾巴却永远留在了猫嘴里。

小老鼠气喘吁吁，又累又痛，刚想找个地方休息休息，一只鹰就从天上扑了下来，小老鼠只好咬紧牙关继续奔逃。好不容易逃离了鹰爪，一条狗又拦在了小老鼠的面前……

整整一天的时间，小老鼠被追赶得晕头转向，遍体鳞伤。但是，它始终没有放弃最初的念头，它坚信自己一定能看到大海。

傍晚，小老鼠吃力地爬上了最后一座

山。啊！展现在面前的是一望无际的大海，在衔接着大海的天空中，晚霞是那样灿烂，照得大海金光闪闪。一排排海浪拍打着岩石，不时地翻滚到海岸上来……

"太美了……"小老鼠喃喃地说，"如果伙伴们都和我在一起欣赏，该多好啊。"

渐渐地，晚霞消失了，金黄的月亮从海面上升了起来。小老鼠静静地坐在山顶上，望着大海，沉浸在把想法变为现实的幸福之中。

情商启迪 ★

像这只小老鼠一样，我们每个人都有自己的梦想和追求。然而，我们的追求往往不被其他人所认同，他们甚至阻挠我们的前行。这时，我们只有靠自己。只要我们拥有足够的信心、决心和不放弃的毅力，即使孑然一身，即使困难重重，我们也一定会把梦想揽到手中。

心别被烧伤

在一次火灾中，一个小男孩儿被烧成重伤，虽然经医院全力抢救脱离了生命危险，但他的下半身还是没有任何知觉。医生悄悄地告诉他的妈妈，这孩子以后可能要靠轮椅度日了。

一天，妈妈推着他到院子里呼吸新鲜空气，然后妈妈有事离开了。

一股强烈的冲动从男孩儿的心底涌起：我一定要站起来！他推开轮椅，拖着无力的双腿，用双肘爬到了篱笆墙边。接着，他用尽全身力气，努力地抓住篱笆墙站了起来，并且试着拉住篱笆墙行走。没走几步，汗水从额头滚滚而下，他停下来喘了口气，咬紧牙关又拖着双腿再次出发，直到篱笆墙的尽头。

就这样，每天男孩儿都要抓着篱笆墙练习走路，他不停地告诉自己，未来的日子里，一定要靠自己的双腿来行走。

终于，在一个清晨，当他再次拖着无力的双腿紧拉着篱笆行走时，一阵钻心的疼痛从下半身传来。

那一刻，他惊呆了。他一遍又一遍地走着，尽情地享受着钻心般的痛楚。

从那以后，男孩儿的身体恢复得很快，先是能够站起来，扶着篱笆走上几步，渐渐地，他便可以独立行走了。自此，他的生活与一般的孩子再无两样。到他读大学的时候，他还被选进了田径队。

他就是葛林·康汉宁博士，他曾经跑出过全世界最好的成绩。

情商启迪★

如果一味地等待别人的照顾，小葛林可能真的像医生说的那样，在轮椅上度日了。是他"一定要靠自己的双腿行走"的信念，支撑着他站了起来，并跑出了全世界最好的成绩。小朋友们，你们是不是也很钦佩小葛林的精神呢？

遗 产

yǒu yī gè hěn yǒu qián de cái zhu　　tā yǒu liǎng gè ér zi　　ér tā xiǎng
有一个很有钱的财主，他有两个儿子，而他想

bǎ yí chǎn quán bù liú gěi dà ér zi　　liǎng gè hái zi de mā ma xīn téng xiǎo ér
把遗产全部留给大儿子。两个孩子的妈妈心疼小儿

zi　　gēn cái zhu kū sù shuō　　nǐ tài piān xīn le　　bǎ yí chǎn dōu
子，跟财主哭诉说："你太偏心了，把遗产都

gěi dà ér zi　　nà xiǎo ér zi jīn
给大儿子，那小儿子今

hòu de shēng huó zěn me
后的生活怎么

bàn　　nǐ bǎ yí chǎn píng
办？你把遗产平

fēn gěi tā men ba　　kě
分给他们吧。"可

zhè ge cái zhu què shuō
这个财主却说：

wǒ bǎ yí chǎn zhǐ liú gěi
"我把遗产只留给

126

大儿子，看起来小儿子什么都没有得到，但到最后，他们将各有所得。"

老财主死后，大儿子得到了全部的遗产，过着很舒适的生活。而小儿子因为什么都没有得到，不得不到外地谋生。这期间，小儿子吃了很多苦。

后来，小儿子学会了手艺，增长了见识，很快便回到家乡做起了生意，生活也渐渐富足起来。而大儿子，却变得好吃懒做。渐渐地，他花光了父亲留给他的遗产，却因为没有一技之长，最终贫困而死。

情商启迪 ★

父亲究竟有没有偏心呢？没有！这个父亲很公平，他给了大儿子所有的财产，而给了小儿子独立创造财富的机会，使他们都各有所得。小朋友们，你们现在一定知道什么才是永远不变的财富了吧，那就是独立创造生活的能力。

诱饵

在一个大池塘中住着一群鱼，鱼妈妈每天都辛苦地教鱼宝宝找食物。很快，所有鱼宝宝都能独立捕食了。

有一天，一条鱼宝宝发现水里有一块儿肉，他高兴地吃起来，心里想："今天真幸运，这么容易就找到了食物。"鱼妈妈看到了，马上把他叫回来说："孩

zi，那是钓鱼者的诱饵，再好也不能去吃啊。"

小鱼很不情愿地又开始自己捕食，可是好累啊。

他很怀念鱼钩上鲜美的肉，他想："我只吃一点儿，一点儿就够了。能和钓钩保持一个安全距离就可以。"

于是他又贪婪地吃起了诱饵。

可是，小鱼越吃越想吃，终于，他咬到了钓钩，被钓走了。鱼妈妈叹息地说："总会有些不自立的小鱼去吃诱饵，他们都付出了最昂贵的代价，那就是生命。"

情商启迪★

　　小鱼因为懒惰和贪婪，葬送了自己最宝贵的生命，这样的代价是多么得不偿失啊。小朋友们，你们现在知道了吧，天下没有免费的午餐，只有自立才能远离诱饵！

渔王的儿子

有一个打鱼人，他有着一流的捕鱼技术，被人们尊称为"渔王"。然而，渔王的三个儿子的捕鱼技术都很平庸。苦恼的渔王经常抱怨说："我真不明白，我的捕鱼技术这么好，我的儿子们为什么这么差？我毫无保留地传授给了他们经验，可他们的技术竟然赶不上那些技术差的渔民的儿子！"

一位路人听了他的诉说后问："你一直手把手地教他们吗，他们有没有独立捕过鱼？"

"为了让他们得到一流的技术，少走弯路，我都是很耐心也很仔细地教他们，他们一直跟着我学，没有独立过。"

路人说："这样说来，他们的技术肯定不会好，因为成功仅仅靠经验是不够的，他们还需要教训。没有教训与没有经验一样，都不能使人成大器。"

情商启迪 ★

只有亲身经历，才能刻骨铭心！失败的教训往往比成功的经验更能教会我们如何去行动，而失败的教训只能通过独立的学习与实践获得。其实，成功也没有想象中的那么难，只要自己肯迈出那一步，成功就在不远处。

战胜北风

很久很久以前，有一个打鱼人的部落。那里的人们一到夏天就走很远的路，到北方来捉鱼。而冬天，他们就要回南方。因为北方有一个统治者名叫北风，这个凶恶的老头子会用寒冷把他们赶走。

这天早晨，下起了雪，打鱼的湖面上蒙起了一层薄冰。渔人们见了，纷纷喊起来："北风要来了，是我们该走的时候了！

但是，一个叫辛几比斯的年轻人却说："我为什么要走呢？我可以在冰上凿一个窟窿钓鱼吃，我才不管北风来不来呢！"渔人们惊奇地看着他，他们认为可怕的北风是无法战胜的，于是都去南方了。

辛几比斯准备了许多大圆木头，收集起许多干树皮和枯枝。晚上，他把屋里的火燃得很旺很亮。早晨他就会到湖上去，在冰上凿个窟窿来钓鱼。

他对自己说："他们认为北风是一个凶神，认为他比任何人都厉害。的确，我比他怕冷，可是他一定

133

bǐ wǒ gèng pà rè   xīn jǐ bǐ sī yònggōu huǒ bǎ
比我更怕热。"辛几比斯用篝火把

zì jǐ kǎo de nuǎnnuǎnhuō huō de   biàn chū qu yǔ
自己烤得暖暖和和的，便出去与

běi fēngshuāi jiāo
北风摔跤。

jīng guò yī yè de bó dòu   dāng tài yáng cóng
经过一夜的搏斗，当太阳从

dōngfāngshēng qi de shí hou   běi fēngzhōng yú bèi
东方升起的时候，北风终于被

xīn jǐ bǐ sī zhēng fú le   tā nù hǒu le yī shēng   huí shēn pǎo dào hěnyuǎnhěn
辛几比斯征服了。他怒吼了一声，回身跑到很远很

yuǎn de zuì běi fāng qù le
远的最北方去了。

xīn jǐ bǐ sī zhàn zài xiǎo wū pángbiān   dà shēnghuānxiào zhe   yīn wèi tā
辛几比斯站在小屋旁边，大声欢笑着，因为他

zhī dào shì zì xìn hé jiān qiáng bǎ xiōngměng de běi fēngzhēng fú de
知道是自信和坚强把凶猛的北风征服的。

情商启迪★

　　如今，因纽特人仍然世世代代生活在寒冷的北方。正如辛几比斯一样，他们拥有坚强、自信和勇敢的品格，独立战胜了恶劣的生存环境，成为生活在地球最北端的民族。他们的例子再次证明，没有困难可以压倒坚强、独立的人们。

只能依靠自己

yǒu yī gè rén hěn qián chéng zǒng shì dào guān
有一个人很虔诚，总是到观

yīn pú sà miàn qián shàng xiāng xǔ yuàn qí qiú
音菩萨面前上香许愿，祈求

pú sà néng gòu bǎo yòu tā jí jiā rén píng
菩萨能够保佑他及家人平

ān xìng fú
安幸福。

zhè yī tiān zhè ge rén yòu lái
这一天，这个人又来

135

到庙里烧香，看到旁边另一个人也伏在那里许愿。

他觉得那人极为面熟，上前一

看，居然就是菩萨自己！

那人不解

地问："你是

观音，为什

么还拜你

自己呢？"

菩萨微微一笑，回答道："我遇到了难事，但我

知道，求人不如求己啊。"

情商启迪 ★

看到了吧，连神仙菩萨也在求自己，只有靠自己的力量才能战胜一切，获得幸福的生活。小朋友也明白独立和自立带给生活的帮助了吧。

转圈的毛毛虫

法国昆虫学家法布尔曾做过一个著名的"毛毛虫实验"。

有一种毛毛虫有着"跟随者"的习性，总是盲目地跟着前面的毛毛虫走。法布尔把若干只毛毛虫放在一个花盆的边缘上首尾相接，围成一圈，并在花盆周围不到

两米的地方，撒一些毛毛虫喜欢吃的松叶。毛毛虫开始一个跟一个，绕着花盆的边缘，一圈又一圈地走。

一个小时过去了，一天过去了，毛毛虫们还在不停地、坚韧地团团转。

一连走了七天七夜，终因饥饿和筋疲力尽而死去。

其实，只要任何一只毛毛虫能够不再盲从，而是独立地去探索不同的路，它便会带领大家吃到美味的松叶，过上更好的生活。

情商启迪 ★

毛毛虫们总是跟随别人的脚步，不会独立探索新的世界，因此它们最终也没有逃出这个由自己编织的巨大的圈。小朋友们，相信你们一定不愿意做像毛毛虫一样的人，永远跟着别人的步伐，而没有自己的主见和独立思考的能力吧。

抗压耐挫 篇

如何不畏艰难、勇敢地面对挫折？
怎样才能以一颗坚强的心迎接未来？
看看本章故事中主人公们经历的"耐力训练"吧。
相信小朋友能从中发现自强抗压的秘密。

1885 次拒绝

guó jì yǐngxīng shǐ tài lóng wèi chéngmíngqián　shì
国际影星史泰龙未成名前，是

yī gè pín kùn liáo dǎo de qióngxiǎo zi　dāng shí tā shēn
一个贫困潦倒的穷小子，当时他身

shang zhǐ shèng　měiyuán　ér tā de lǐ xiǎng jiù shì yào
上只剩 100 美元，而他的理想就是要

chéng wéi diànyǐngmíngxīng　yú shì　tā āi jiā āi hù de bài fǎng le hǎo lái wù
成为电影明星。于是，他挨家挨户地拜访了好莱坞

suǒ yǒu de diànyǐng zhì piàn gōng sī　xún qiú yǎn chū de jī huì
所有的电影制片公司，寻求演出的机会。

hǎo lái wù zǒng gòng yǒu　jiā zuǒ yòu de diànyǐnggōng sī　shǐ tài lóng
好莱坞总共有 500 家左右的电影公司，史泰龙

zhú yī bài fǎng guò hòu　méi yǒu rèn hé yī jiā diànyǐnggōng sī yuàn yì lù yòng tā
逐一拜访过后，没有任何一家电影公司愿意录用他。

shǐ tài lóngmiàn duì　cì lěng kù de jù jué　háo bù huī xīn　tā huí
史泰龙面对 500 次冷酷的拒绝，毫不灰心。他回

guò tóu lai　yòu cóng dì yī jiā kāi shǐ　āi jiā āi hù de zì wǒ tuī jiàn
过头来，又从第一家开始，挨家挨户地自我推荐。

第二轮的拜访，这500家电影公司当中，总共有多少家拒绝了他呢？答案是500家，仍然没有人肯录用他。

史泰龙坚持自己的信念，将1000次的拒绝，当做绝佳的经验，鼓励自己又从第一家电影公司开始。

这一次他不仅争取演出的机会，同时还向对方推荐自己苦心撰写的剧本。

第三轮带着剧本的努力推荐，史泰龙有没有成功呢？答案还是一样，好莱坞仍然全都拒绝了他。

史泰龙总共经历了1885次无情的拒绝和无数的冷嘲热讽。最后，终于有一家愿意采用他的剧本，并聘请他担任剧本中的男主角。

这部电影就是《洛奇》。从此以后，史泰龙每一部影片都十分受欢迎，奠定了他国际巨星的地位。

从身上仅剩下100美元的穷小子，到每部影片片酬都超过2000万美元的超级巨星，史泰龙凭借坚强的意志和不懈的努力，实现了自己的人生梦想。

情商启迪★

　　史泰龙之所以能够勇于面对无情的拒绝，原因在于他无比坚定的信念："没有所谓失败，只是暂时不成功而已。"其实，挫折只是通往成功的道路上必然存在的因子，是不可避免的。当小朋友们了解了这些后，或许就有了更足的面对挫折的信心和勇气。

把绊脚石变成垫脚石

一个走夜路的人绊在一块儿石头上，重重地摔了一跤。他爬起来，揉着疼痛的膝盖继续向前走。

当他走进一条胡同时，发现这条胡同是个死胡同，前面是墙，左

miàn shì qiáng　yòu miàn yě shì qiáng　qiánmiàn de qiáng gānghǎo bǐ tā gāo yī tóu
面是墙，右面也是墙。前面的墙刚好比他高一头，

tā fèi le hěn dà lì qi yě pān bu shàng qù
他费了很大力气也攀不上去。

hū rán　　tā líng jī yī dòng　xiǎng qi le gāng cái bàn dǎo zì jǐ de nà
忽然，他灵机一动，想起了刚才绊倒自己的那

kuài er shí tou　　wèi shén me bù bǎ tā bān guo lai diàn zài jiǎo dǐ xià ne　xiǎng
块儿石头，为什么不把它搬过来垫在脚底下呢？想

dào zhè li　　tā mǎ shàng zhé hui qu　　fèi le
到这里，他马上折回去，费了

hěn dà de lì qi　cái bǎ nà kuài er shí tou bān
很大的力气，才把那块儿石头搬

guo lai　　fàng zài qiáng xià
过来，放在墙下。

cǎi zhe nà kuài er shí tou　　tā qīngsōng de pá dào le qiáng shang　qīngqīng
踩着那块儿石头，他轻松地爬到了墙上，轻轻

yī tiào　　jiù yuè guò le nà dǔ qiáng
一跳，就越过了那堵墙。

情商启迪 ★

逆境人人都会遇到，但是很多人被绊脚石绊倒以后，往往会变得惧怕跌倒，不再前进，更不用说化不利为有利，把绊脚石变成垫脚石。小朋友们，你们能将挫折化为有利的方面，帮助自己向前迈进吗？

不放弃梦想

　　有一个小男孩儿，他的父亲是位马术师，他从小就必须跟着父亲东奔西跑，一个马厩接着一个马厩，一个农场接着一个农场地去训练马匹。

　　初中时，有一次老师布置写作文，题目是《长大后的志愿》。那晚他洋洋洒洒地写了7张纸，描述他的伟大志愿，那就是拥有一座属于自己的牧马农场。他还仔细画了一张200亩农场的设计图，上面

标有马厩、跑道等的位置，在这一大片农场中央，

还有一栋占地4000平方英尺的豪宅。

然而，两天后他拿回了作文，第

一页上打了一个又红又大的叉，

旁边还写了一行字：下课

后来见我。脑中充

满幻想的小男孩

儿下课后去找老

师："为什么给我

不及格？"

老师说："你年纪轻轻，不要老做白日梦。你如

果肯重写一个比较不离谱的志愿，我会重新给你打

分数。"

男孩儿回家后，考虑了好几天，决定仍将原稿

交回，一个字都不改。他告诉老师："即使不及格，我也不愿放弃梦想。"

如今，当年的小男孩儿已拥有一座 200 亩的农场和占地 4000 平方英尺的豪华住宅，他仍然保留着初中时写的作文。

那位老师带了 30 个学生来"小男孩儿"的农场露营一星期。离开之前，她对小男孩儿说："说来有些惭愧，你读初中时，我曾泼过你的冷水。这些年来，我也对不少学生说过相同的话，幸亏你有这个毅力坚持自己的梦想。"

情商启迪★

即便是老师都说自己的梦想是"白日梦"，小男孩也没有放弃，没有惧怕挫折，而是坚持自己的梦想，最终向这位老师，也为自己交上了满意的答卷。守住梦想，就等于守住了一座人生宝库啊！

不要放弃希望

有一个女孩从小患有小儿麻痹症，无法正常走路。随着年龄的增长，她的忧郁和自卑感越来越重，她甚至拒绝所有人靠近。但也有个例外，邻居家那个只有一只胳膊的老人成了她的好伙伴。老人是在一场战争中失去一只胳膊的，

148

但非常乐观。女孩特别喜欢听老人讲故事。

这天，老人用轮椅推她去了附近的幼儿园，孩子们动听的歌声吸引了他们。当一首歌唱完，老人说："我们来鼓掌吧！"她吃惊地看着老人，说："可是你只有一只胳膊……"老人对她笑了笑，解开衬衣，用手掌拍起了裸露的胸膛。那是一个初春，风中还有几分寒意，但女孩却突然感到自己的身体里涌动起一股暖流。老人又对她笑了笑，说："只要努力，一只巴掌也可以拍响。

那之后，她开始配合医生的治疗，甚至自己偷着扔开支架，试着走路。治疗的痛苦是钻心的，但她咬牙坚持着，她相信自己能够像其他孩子一样行走、

bēn pǎo
奔跑。

suì shí　　 tā rēng diào le zhī jià　 kāi shǐ xiàng gèng gāo de mù biāo nǔ
11 岁时，她扔掉了支架，开始向 更高的目标努

lì　 tā liàn xí dǎ lán qiú　 bìng qiě cān jiā tián jìng yùn dòng　　 nián luó mǎ
力。她练习打篮球，并且参加田径运动。1960 年罗马

ào yùn huì nǚ zǐ　　　 mǐ jué sài zhōng dāng tā yǐ　 miǎo　 de chéng jì dì
奥运会女子100 米决赛中，当她以11 秒18 的 成绩第

yī gè zhuàng xiàn hòu　　 quán chǎng zhǎng shēng léi dòng　 rén men dōu zhàn qi lai wèi
一个 撞线后，全场 掌声雷动，人们都站起来为

tā hè cǎi　 qí shēng huān hū zhe zhè ge měi guó hēi rén de míng zi　 wēi ěr mǎ
她喝彩，齐声 欢呼着这个美国黑人的名字：威尔玛·

lǔ dào fū　　 zài nà yī jiè ào yùn huì shang　 lǔ dào fū gòng zhāi qǔ le　 méi
鲁道夫。在那一届奥运会上，鲁道夫共摘取了 3 枚

jīn pái　 tā chéng wéi le dāng shí shì jiè shang pǎo de zuì kuài de nǚ rén　 yě shì
金牌。她成为了当时世界上跑得最快的女人，也是

dì yī gè hēi rén ào yùn nǚ zǐ bǎi mǐ guàn jūn
第一个黑人奥运女子百米冠军。

情商启迪 ★

　　任何时候都不要放弃希望，哪怕只剩下一只胳膊。任何时候都不要放弃梦想，哪怕残疾到不能行走。小朋友，当你冲出逆境后，会发现，其实逆境并没有那么可怕。

大象的鼻子

上帝在造大象时，一时疏忽，把大象的鼻子拉得又大又长，使大象变得奇丑无比。

大象开始不知道自己长得丑陋，它喜欢和动物们玩耍。可是，别的动物见了它后都纷纷躲开了，像是碰到了怪物。大象十分纳闷：为什么大家如此不愿意和我在一起呢？

一天，大象去湖边喝水，湖水清如明

镜，大象仔细地看着自己在水中的倒影：天哪，自己怎么这样丑陋呀！大象伤心极了。不过，大象的心胸开阔，它想，既然有了这个大鼻子，那么就用它做些事情吧。

它先学会了用鼻子吸水，只要自己站在河边上，把长长的鼻子往河中一伸，就很容易吸到河中的水。这样，在别的动物喝不到水的地方，大象却往往能够喝到。

由于鼻子又长又大，大象还可以够到很高地方的树枝和果实，丑陋的长鼻子给大象带来了数不清的好处。

亿万年之后，大象成为陆地上最为强大的动物，很少有动物敢挑战大象。

这天，上帝忽然想起了大象和它的丑鼻子，感到很内疚，觉得一时疏忽，却给大象造成了终生的缺憾。于是，他想给它重新造一只好看的鼻子。

可是，当上帝找到大象时，却吃惊地发现大象不是原来的样子了，它变成了庞然大物，鼻子也比原来更长了，看上去并不丑，而是显得很有力量。

情商启迪

自惭形秽是不能解决问题的，最为明智的选择是从丑陋中发现新的力量，当这种力量使人变得强大和与众不同的时候，丑陋就会转变为一种别样的美丽。

第三只木板凳

爱因斯坦小时候，有一次手工课上，他决定制作一只小木凳。下课铃响了，同学们都向女老师交上了自己的手工作品，只有爱因斯坦交不出来，他急得满头大汗。于是，女老师允许他第二天交。

第二天，爱因斯坦交给老师的是一只制作很粗陋的小木板凳。老师十分不满意地对全班同学说：“你们有谁见过这么糟糕的凳子吗？”同学们纷纷摇头。老师又看了看爱因斯坦，生气地挖苦道：“我想，世界上不会有比这更差的凳子了。”教室里一阵哄笑。

爱因斯坦的脸红红的，他却肯定地对老师说："有的！"教室里一下子静了下来。他走回自己的座位，从书桌下拿出两个更为粗陋的木板小凳子，说："刚才我交给老师的是第三只凳子。虽然它并不能使人满意，可是比起这两只总要强一些。"这回大家都不笑了。女老师若有所思地望着爱因斯坦，同学们则向他投来敬佩和赞许的目光。

情商启迪 ★

失败并不可怕，只要我们在失败后还拥有锲而不舍的精神，我们就一定会成功。小朋友们，你们能够坦然面对挫折和嘲笑吗？

冬天不要砍树

yī gè hái zi yǔ fù qīn yī qǐ lái dào yī
一个孩子与父亲一起来到一

gè xiǎo nóng chǎng hái zi zài wánshuǎ shí fā xiàn jǐ
个小农场。孩子在玩耍时发现几

kē wú huā guǒ shù zhōng yǒu yī kē yǐ jīng sǐ le tā de
棵无花果树中有一棵已经死了。它的

shù pí yǐ jīng bō luò zhī gàn yě bù zài chéng àn qīng sè
树皮已经剥落，枝干也不再呈暗青色，

ér shì wánquán kū huáng le hái zi
而是完全枯黄了。孩子

伸手碰了一下，只听"吧嗒"一声，枝杈折断了。

孩子对父亲说："爸爸，那棵树早就死了，把它砍了吧！我们再种一棵。"可是父亲阻止了他，说："孩子，也许它现在的确是不行了。但是，冬天过去之后它可能还会萌芽抽枝的——它正在养精蓄锐呢！记住，孩子，冬天不要砍树。"

第二年春天，那棵好像已经死去的无花果树重新萌生新芽，和其他树一样在春天里展露出生机。其实这棵树真正死去的只是几根枝杈，到了春天，整棵树枝繁叶茂、绿荫宜人，和其他树没什么差别。

情商启迪 ★

困难和挫折只是一时的，因此，在困难和挫折面前只要挺直腰板，别趴下，坚持一下，就一定会有转机。

钢琴课

一位音乐系的学生走进练习室。在钢琴上，摆着一份全新的乐谱。

"超高难度！"他翻着乐谱，喃喃自语，感觉自己对弹奏钢琴的信心似乎跌到谷底。已经三个月了，自从跟了这位新的指导教授之后，他不知道为什么教授要以这种方式整人。

指导教授是个极其有名的音乐大师。授课的第一天，他给自己的新学生一份乐谱。乐谱的难度颇高，学生弹得生涩僵滞、错误百出。"还不成熟，

huí qu hǎo hǎo liàn xí jiào shòu zài xià kè shí dīng zhǔ xué shēng
回去好好练习！”教授在下课时叮嘱学生。

xué shēng liàn xí le yī zhōu dì èr
学生练习了一周，第二

zhōu shàng kè shí zhèng zhǔn bèi ràng jiào shòu
周上课时正准备让教授

yàn shōu méi xiǎng dào jiào shòu yòu gěi tā yī
验收，没想到教授又给他一

fèn nán dù gèng gāo de yuè pǔ xué
份难度更高的乐谱。学

shēng zài cì zhēng zhá yú gèng gāo nán
生再次挣扎于更高难

dù de jì qiǎo tiǎo zhàn
度的技巧挑战。

dì sān zhōu gèng nán de yuè
第三周，更难的乐

pǔ yòu chū xiàn le zhè yàng de qíng xíng
谱又出现了。这样的情形

chí xù zhe xué shēng měi cì zài kè táng
持续着，学生每次在课堂

shàng dōu bèi yī fèn xīn de yuè pǔ suǒ kùn
上都被一份新的乐谱所困

rǎo rán hòu bǎ tā dài huí qu liàn
扰，然后把它带回去练

xí jiē zhe zài huí dào kè táng
习，接着再回到课堂

shàng chóng xīn miàn lín liǎng bèi nán
上，重新面临两倍难

159

度的乐谱，却怎么也追不上进度，学生越来越感到不安、沮丧和气馁。

学生再也忍不住了，他向钢琴大师提出了质疑。

教授没开口，只是抽出最早的那份乐谱，交给了学生。"弹奏吧！"他以坚定的目光望着学生。

不可思议的事情发生了，连学生自己都惊讶万分，他居然可以将这首曲子弹奏得如此美妙、如此精湛！教授又让学生试了第二堂课的乐谱，学生依然呈现出超高水准的演奏。钢琴大师缓缓地说："如果我任由你表现最擅长的部分，可能你还在练习最早的那份乐谱，就不会达到现在这样的程度。"

情商启迪 ★

　　困难就像越来越难的乐谱，只要我们一个一个地克服，终将会被我们解决掉。当你解决掉眼前的困难后回头看看，也许过去那些小困难小挫折根本就不算什么了。

价 值

在一次讨论会上，一位著名的演说家没讲一句开场白，手里却高举着一张20美元的钞票。

面对会议室里的 200 个人，他问："谁要这20美元？"

一只只手举了起来。

演说家接着说："我打算把这 20 美元送给你们中的一位，但在这之前，请准许我做一件事。"他

shuō zhe jiāng chāopiào róu chéng yī tuán　rán hòu wèn　shéi hái yào
说着将钞票揉成一团，然后问："谁还要？"

réng rán yǒu rén lù xù jǔ qǐ shǒu lai
仍然有人陆续举起手来。

yǎn shuō jiā yòu shuō　nà me　jiǎ rú wǒ zhèyàng zuò ne　tā bǎ
演说家又说："那么，假如我这样做呢？"他把

chāopiào rēng dào dì shang　yòu tà shang yī zhī jiǎo　yòng lì niǎn tā　zhī hòu tā
钞票扔到地上，又踏上一只脚，用力碾它。之后他

shí qi chāopiào　chāopiào yǐ biàn de yòu zāng yòu zhòu　xiàn zài shéi hái yào
拾起钞票。钞票已变得又脏又皱。"现在谁还要？"

hái shi yǒu rén jǔ qǐ shǒu lai
还是有人举起手来。

péng you men　nǐ men yǐ jīng shàng le　yī táng hěn yǒu
"朋友们，你们已经上了一堂很有

yì yì de kè　wú lùn wǒ rú hé duì dài nà zhāng chāo
意义的课。无论我如何对待那张钞

piào　wú lùn tā biàn de duō me pò jiù
票，无论它变得多么破旧，

nǐ men hái shi xiǎng
你们还是想

yào tā　yīn wèi tā
要它，因为它

bìng méi biǎn zhí　tā
并没贬值，它

yī jiù zhí　měi
依旧值 20 美

yuán　rén shēng lù
元。人生路

上，我们会无数次被自己的决定或碰到的逆境击倒、欺凌，甚至碾得创伤累累。我们觉得自己似乎一文不值。但无论发生什么，或将要发生什么，在上帝的眼中，你们永远不会丧失价值。在他看来，无论肮脏或洁净，衣着齐整或不齐整，你们依然是无价之宝。"

生命的价值不依赖我们的外表，也不仰仗我们结交的人物，而是取决于我们本身！我们每个人都是独特的，都有自身的价值——永远不要忘记这一点！

情商启迪 ★

　　每个人都有自己的内在价值，这种价值并不会因为你的外观、衣着和环境的改变而改变。不论在人生中遭受何等的磨难，经受何等的挫折，我们要始终坚信自己的价值不会改变。是金子，就一定会发光的。

坚持到底

有一条饥饿的鳄鱼，被人放在一个水族箱中，箱子的另一边有很多小鱼，但鳄鱼与小鱼中间有一片厚厚的透明玻璃板隔着。

刚开始，鳄鱼毫不犹豫地向小鱼发动进攻。它失败了，但毫不气馁。接着，它又向小鱼发动更猛烈的攻击。它又失败了，并且受了伤。它还是继续进攻，一次，两次，三次……直到第十五次，它依然没有成功。多次进攻无望后，它终于放弃了。

这个时候，人们将挡板拿开，但鳄鱼已经不再

<ruby>攻击小鱼了<rt>gōng jī xiǎo yú le</rt></ruby>。<ruby>它只是无望地看着那些小鱼在眼皮底<rt>tā zhǐ shì wú wàng de kàn zhe nà xiē xiǎo yú zài yǎn pí dǐ</rt></ruby><ruby>下悠闲地游来游去<rt>xià yōu xián de yóu lái yóu qu</rt></ruby>，<ruby>它放弃了一切努力<rt>tā fàng qì le yī qiè nǔ lì</rt></ruby>。

情商启迪 ★

很遗憾，像这条鳄鱼一样，我们很多人在多次的挫折、打击和失败之后，就逐渐失去了战斗力。其实，只要拥有坚强的斗志，坚持到底，就能获得胜利。

坚强的心

有一天，一个年轻人去拜见一位智者。

"请问，怎样才能成功呢？"这个年轻人恭敬地问。智者笑笑，递给年轻人一颗花生问："它有什么特点？"

年轻人愕然。

"用力捏捏它。"智者说。

年轻人用力一捏，花生壳被他

捏碎了，但却留下了花生仁。

"再搓搓它。"智者说。

年轻人照着他的话做，毫无疑问，花生仁红色的皮被搓掉了，只留下白白的果实。

"再用手捏它。"智者说。

年轻人用力捏着，但是他的手无法再将它毁坏。

"用手搓搓看。"智者说。

当然，什么也搓不下来。

智者语重心长地说："虽屡遭挫折，但始终都保有一颗坚强的百折不挠的心，这就是成功的秘诀。"

情商启迪 ★

成功的秘诀之一，不就是把失败甩在身后，然后百折不挠地坚持下去吗？坚定的意志和强烈的成功欲望，永远是成功的不二法则。其实，人生就像年轻人手中的花生，虽屡遭挫折，但只要心是坚强的，就不会被打败。

两只蚂蚁

非常不幸，两只蚂蚁误入玻璃杯中。

他们慌张地在玻璃杯底四处触探，想寻找一个缝隙爬出去。不一会儿，他们便发现，这根本不可能。于是，他们开始沿着杯壁向上攀登。看来，这是通向自由的唯一路径。

然而，玻璃的表面实在太光滑了，他们刚爬了两步，便重重地跌了下去。

他们揉揉摔疼了的身体，爬

起来，再次往上攀登。很快，他们又重重地跌到杯底。

三次、四次、五次……有一次，眼看就快爬到杯口了，可惜，最后一步却失败了，而且，这一次比哪次都摔得重，比哪次都摔得疼。

好半天，他们才喘过气来。

一只蚂蚁一边揉着屁股，一边说："咱们不能再冒险了。否则，会摔得粉身碎骨的。"

另一只蚂蚁说："刚才，咱们离胜利不只差一步了吗？"说罢，他又重新开始攀登。

一次又一次跌

倒，一次又一次攀登，他到底摸到了杯口的边缘，用最后一点力气，翻过了这道透明的围墙。

隔着玻璃，杯子里的蚂蚁既羡慕又忌妒地问："快告诉我，你获得成功的秘诀是什么？"

杯子外边的蚂蚁回答："接近成功的时候可能最困难。谁在最困难的时候不丧失信心，谁就可能赢得胜利。"

杯子里的蚂蚁受到启发和鼓舞，不再惧怕被摔疼，也重新开始攀登，最终爬出了玻璃杯，与另一只蚂蚁会合。

情商启迪 ★

小蚂蚁面对挫折仍不断努力，他的这种坚持精神帮他克服了重重困难，最终得到了自由。而小蚂蚁之所以能不放弃，重要的因素是他拥有必胜的信念。在挫折中坚守必胜信念，就一定不会丧失坚持的力量。

路途的顶端

鹅毛大雪下得正紧，满山遍
野都裹上了一层厚厚的雪。

有一位樵夫挑着两担柴，吃
力地往山上爬，他要翻过眼前的大山才能到家。樵
夫一脚深一脚浅地走在山地雪路上，肩挑沉重的
柴，头顶凛冽的北风，每一步都十分费力。好不容易
爬了许久，樵夫满以为离山顶近了，可是抬头仰望，
看见前方仍是没有尽头。

樵夫沮丧极了，跪在雪地上，双手合十乞求佛

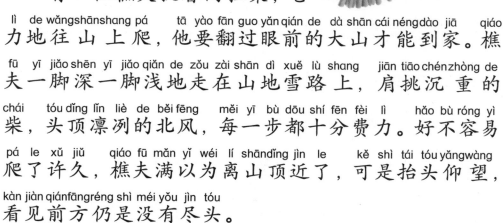

祖现身帮忙。佛祖出现了，问："你有何困难？"

"我请求您帮我想个办法，让我尽快离开这鬼地方，我累得实在是不行了。"樵夫疲惫地坐在地上。

"好吧，我教你一个办法。"说完，佛祖把手向樵夫身后一指说，"你往身后瞧去，看见的是什么？"

"身后是一片茫茫白雪，只有我上山时留下的脚印。"樵夫不解地说。

"你是站在脚印的前方还是后方？"

"当然是站在脚印的前方，因为每一个

172

脚印都是我踩下去后才留下的。"樵夫理所当然地回答道。

"如此说来，你永远站在自己走过的路途的顶端，只是这个顶端会随着你脚步的移动而变化。你只需记住一点，无论路途多么遥远，多么坎坷，你永远是走在自己路途的顶端，至于其他的问题你无须理会。"说完，佛祖便消失了。

樵夫照着佛祖的指示，不再仰望前方是否有尽头，而是脚踏实地，一步一个脚印地向前行走，果然轻松地翻过山头回到了家。

情商启迪

其实，只要我们相信自己一定能够走出困境、战胜挫折，那么胜利的曙光就在前方不远处迎接我们。

绿灯时是第一

yǒu yī cì jié kè hé yī gè péng you chéng
有一次，杰克和一个朋友乘

chū zū chē dào yī gè bù tài shú xi de jiāo qū qù
出租车到一个不太熟悉的郊区去。

zhè yī lù shang tā men hé sī jī yǒu shuō yǒu xiào dàn bù zhī dào
这一路上，他们和司机有说有笑。但不知道

wèi shén me yī lù shang lián xù yù dào wǔ liù gè hóng dēng yǒu shí yǎn
为什么，一路上连续遇到五六个红灯。有时眼

kàn kě yǐ kāi
看可以开

guo lù kǒu le
过路口了，

què yòu pèng dào
却又碰到

hóng dēng
红灯。

jié kè de péng you suí
杰克的朋友随

174

口^{kǒu}嘟^{dū}囔^{nang}着^{zhe}说^{shuō}："真^{zhēn}倒^{dǎo}霉^{méi}，一^{yī}路^{lù}都^{dōu}碰^{pèng}到^{dào}红^{hóng}灯^{dēng}，老^{lǎo}是^{shì}差^{chà}那^{nà}么^{me}一^{yī}步^{bù}。"

司^{sī}机^{jī}转^{zhuǎn}过^{guò}头^{tóu}来^{lai}，露^{lòu}出^{chu}一^{yī}个^{gè}很^{hěn}自^{zì}信^{xìn}的^{de}笑^{xiào}容^{róng}，回^{huí}答^{dá}道^{dào}："不^{bù}倒^{dǎo}霉^{méi}！上^{shàng}帝^{dì}很^{hěn}公^{gōng}平^{píng}，你^{nǐ}看^{kàn}，绿^{lù}灯^{dēng}时^{shí}，我^{wǒ}们^{men}总^{zǒng}是^{shì}第^{dì}一^{yī}个^{gè}啊^a。"

情商启迪★

　　在人生的旅途上，有红灯也有绿灯，我们并不需要一味地往前冲。遇到红灯时就停下来思考和欣赏，遇到绿灯时就一如既往地前进，这才是乐观面对生活的方式。不过，人生路上可能会遇到比红灯更难逾越的艰难险阻，这就更加需要我们去乐观面对。

麦哲伦环游地球

航海家哥伦布曾经说过，地球是圆的。在当时，很多人认为这是违背圣经的怪论。可惜哥伦布发现了新大陆后，并没有继续向西航行，来证明自己的推断。

哥伦布死后，39岁的麦哲伦决心继承他的事业，开辟一条通向东方的航线。

1519年9月，麦哲伦率领200名海员，驾驶着5艘大船，沿着哥伦布开辟的航线向西行进。经过艰苦的航行，他们到达了美洲。但是旅行并没有结束，船队顺着南美东岸继续南下，寻找着通往亚洲的航路。

航海中的危险和困难接踵而来：有一艘大船失事沉没了；还有一艘船因为不想再冒险，带着大量的给养悄悄地离开了船队；麦哲伦的一些部下也因为吃不了苦而发生了哗变。但是，这些都没有动摇麦哲伦的决心，他说：

"困难再大，我也一定要前进、再前进！"

1520年，麦哲伦的船队进入了另一片广阔的海域。在连续3个月的航行中，他们没有遇到任何风暴，于是海员们将这片海洋命名为"太平洋"。

1521年4月，麦哲伦的船队抵达了亚洲外围的岛屿，不幸的事情发生了，麦哲伦被当地的土著人杀害。但是，麦哲伦的同伴们继续西行，绕过好望角，于1522年9月回到了出发的地点——西班牙。这支仅剩18人、一艘船的船队，终于完成了环绕地球一周的创举。

情商启迪

坚定自信的麦哲伦和他的同伴们，以生命为代价，证实了地球是圆的。应该说，是他们的坚强和执著，帮助他们完成了环游地球这一创举。成功的背后都有一颗强大的心和一股顽强的意志。

木炭笔和石板纸

东晋著名的医药学家葛洪，出身江南士族家庭。不幸的是，在葛洪13岁时，他的父亲就因病去世了，从此，葛洪家就变得一贫如洗。但就是在这样艰苦的条件下，葛洪依然刻苦读书，没有书就向别人借，连砍柴休息的空当儿都不放过。不过，没有纸笔却让葛洪着实为难。

有一天，葛洪准备烧火做饭，他把干柴放进灶膛中，捡出烧剩下的

mù tàn　　shǒu bèi nòng de yī tuán hēi　　tū rán　　gě hóng líng jī yī dòng　gāo
木炭，手被弄得一团黑。突然，葛洪灵机一动，高

xìng de tiào qi lai rǎng dào　　wǒ yǒu bàn fǎ le
兴地跳起来嚷道："我有办法了！"

gě hóng shì zhe yòng mù tàn zài dì shang huà le jǐ xià　　jìng rán xiě chu le
葛洪试着用木炭在地上画了几下，竟然写出了

zì　　tā xīn li xiǎng　　mù tàn jiù shì wǒ de bǐ　　shān shang de shí bǎn jiù shì
字。他心里想：木炭就是我的笔，山上的石板就是

wǒ de zhǐ　jì bù yòng huā qián　　hái yòng bu wán　　dì èr tiān　gě hóng biàn
我的纸，既不用花钱，还用不完。第二天，葛洪便

dài le mù tàn shàng shān kǎn chái　kě shì tiān kōng tū rán xià qi le yǔ　gě hóng
带了木炭上 山砍柴。可是天空突然下起了雨，葛洪

bù jǐn bèi jiāo chéng le luò tāng jī　lián nà xiē mù tàn
不仅被浇 成了落汤鸡，连那些木炭

dōu bèi lín shī le　　zhè kě zěn me bàn a
都被淋湿了，这可怎么办啊？

wǎn shang　　gě hóng tǎng zài chuáng shang bèi
晚上，葛洪躺在 床 上背

sòng zhe bái tiān dú guo de shī jù　　nà shì yī shǒu
诵着白天读过的诗句，那是一首

miáo xiě jiāng nán rén cǎi lián shí huān lè qíng jǐng de yōu
描写江南人采莲时欢乐情景的优

měi mín gē　　jiāng nán kě cǎi lián　　lián yè hé
美民歌："江南可采莲，莲叶何

tián tián　　yú xì lián yè dōng　yú xì lián
田田。鱼戏莲叶东，鱼戏莲

yè xī　　yú xì lián yè nán　　yú xì lián
叶西。鱼戏莲叶南，鱼戏莲

180

叶北。"

这时，葛洪又突发奇想，如果用莲叶把木炭包起来，那木炭就不会被雨水打湿了！

就这样，葛洪把木炭用莲叶包好，带着去山上砍柴。干累了，他就在身边的石板或者岩壁上练字学习，日复一日，年复一年。

最终，葛洪凭借着坚强的意志，发愤图强，16岁时便读完了《孝经》《论语》《诗经》《周易》等儒家经典，后来成为了东晋著名的道教学者、炼丹家和医药学家。

情商启迪 ★

面对家庭的变故和生活的困难，葛洪不仅没有怨天尤人、自暴自弃，反而能积极思考，凭借坚强的意志，学有成就。相比之下，小朋友现在的生活、学习条件都很优越，那就更应该好学、勤练，拿出好的成绩来。

如何面对逆境

一个女儿对父亲抱怨她的生活，抱怨事事都那么的艰难。她不知道该如何应付生活，想要自暴自弃。一个问题刚刚解决，新的问题就又冒出来，面对这些，她已厌倦了抗争和奋斗。

她的父亲是位厨师，他把女儿带进厨房。他先往三口锅里倒入一些水，然后把它们放在旺火上烧。不久锅里的水都烧开了，他又往第一口锅里放了胡萝卜，第二口锅里放入鸡蛋，最后一口锅里放入咖啡粉。

女儿不耐烦地等待着，她很不理解父亲在做什么。大约二十分钟后，父亲把火关闭，把胡萝卜捞出来放入一个碗里，把鸡蛋放入另一个碗里，最后又把咖啡倒在一个杯子里。做完这些后，他才转身问女儿："亲爱的，你看见了什么？"

"胡萝卜、鸡蛋、咖啡。"她回答。

他让女儿靠近些，并让她用手摸摸胡萝卜。她摸了摸，胡萝卜已经变得很软了。

父亲又让女儿拿起鸡蛋并打破它，剥开。将壳剥掉后，她看到的是一个煮熟的鸡蛋。

最后，父亲让她喝咖啡。品尝到香浓的咖啡，女儿笑了。

她问道："父亲，这意味着什么？"

父亲解释道："这三样东西面临同样的逆境——开水，但它们的反应却各不相同。胡萝卜入锅前是强壮的、结实的，但进入开水后，它变软变弱了。鸡蛋原来是易碎的，它薄薄的外壳保护了那呈液体的内脏，开水一煮，它的内脏变硬了。而咖啡粉很独特，进入开水后，它们完全改变了水的本质。"

情商启迪★

有一位名人说过："你有权决定自己对逆境的态度和自己的前途。"所以，在艰难和逆境面前，你可以屈服，也可以使自己变得更坚强，甚至，你可以改变环境。

三只钟

一只新组装好的小钟被放在了两只旧钟当中。两只旧钟"滴答"、"滴答"一分一秒地走着。

其中一只旧钟对小钟说："来吧，你也该工作了。可是我有点担心，你走完三千一百五十三万零六千次以后，恐怕便吃不消了。"

"天哪！三千多万次。"小钟吃惊不已，"要我做这么大的事？办不到，办不到。"

另一只旧钟说："别听它瞎说。不用害怕，你只要每秒滴答摆一下就行了。"

"天下哪有这样
简单的事情。"小钟
将信将疑，"如果这
样，我就试试吧。"

小钟很轻松地每秒
钟"滴答"摆一下。不
知不觉中，一年过去
了，它摆了三千一百
五十三万零六千次。

情商启迪 ★

　　每个人都希望梦想成真，成功却似乎远在天边遥不可及，倦怠和恐惧让我们怀疑自己的能力，放弃努力。其实，只要想着今天我要做些什么，明天我该做些什么，然后努力去完成，就像那只钟一样，每秒"滴答"摆一下，成功的彼岸就会离我们越来越近。

土坯

yǒu yī kuài er tǔ pī hài pà huǒ shāo zài jìn yáo zhī qián tōu tōu cóng
有一块儿土坯，害怕火烧，在进窑之前偷偷从

chē shang liū le xià lái tā xiǎng jiù píng zhè nuǎn nuǎn de tài yáng hé chóu shài
车上溜了下来。它想：就凭这暖暖的太阳，何愁晒

bu yìng ne zhè ge bàn fǎ jì shū fu yòu bǎo
不硬呢？这个办法既舒服，又保

xiǎn hé bì rěn shòu nà yān xūn huǒ liǎo ne
险，何必忍受那烟熏火燎呢？

yú shì tā gù zhi de tǎng zài dì
于是，它固执地躺在地

shang zì yóu zì zài de xiǎng shòu zhe wēn
上，自由自在地享受着温

nuǎn de rì guāng yù
暖的日光浴。

yǒu zhuān chū yáo le
有砖出窑了，

hóng hóng de yìng yìng
红红的，硬硬

187

de　　tǔ pī bù xiàn mù　　yě bù zháo jí　　tā gǎn
的。土坯不羡慕，也不着急。它感

jué zì jǐ yě zài jiàn jiàn biànyìng　　zhǐ shì méi yǒu
觉自己也在渐渐变硬，只是没有

nà yào yǎn de hóng sè
那耀眼的红色。

kě shì tǔ pī bù míng bai　　bù jīng
可是土坯不明白，不经

guò duàn shāo zěn me huì yǒu hóng sè ne
过煅烧怎么会有红色呢？

rú guǒ jǐn jǐn shì méi yǒu hóng sè yě jiù bà le　　yǒu yī tiān　　yī cháng
如果仅仅是没有红色也就罢了，有一天，一场

yǔ xià lai　　tǔ pī zhōng yú zhī chí bu zhù　　biàn chéng le yī tān ní　　yòu guò
雨下来，土坯终于支持不住，变成了一摊泥。又过

le jǐ rì　　fēng chuī yǔ lín　　jiù zài yě zhǎo bu jiàn tǔ pī de zōng yǐng le
了几日，风吹雨淋，就再也找不见土坯的踪影了。

情商启迪 ★

不经高温煅烧，怎能成为可建高楼大厦的红砖？害怕艰苦挑战的人，是经不住风雨考验的。那些逃避困难的人，是无法成就辉煌事业的。

188

忘记过去重新开始

英国史学家卡莱尔费尽心血，经过多年的努力，总算完成了《法国大革命史》的全部文稿。他将这部巨著的原件送给他的朋友米尔阅读，请米尔批评指导。

谁知隔了没几天，米尔脸色苍白、浑身发抖地跑来，向卡莱尔报告了一个悲惨的消息。原来《法国大革命史》的原稿，除了少数几张散页外，已经全被他家里的女佣当做废纸，丢入火炉化为灰烬了。

卡莱尔宛遭晴天霹雳，因为这是他呕心沥血撰写的《法国大革命史》。当初他每写完一章，就随手把原来的笔记擦掉了，所以没有留下任何记录。

第二天，卡莱尔重振精神，又买了一大本稿纸。

后来他说："这一切就像把作业交给老师批改时，老师对我说'不行！孩子，你一定要写得更好些！'一样。我要重新写出更好的《法国大革命史》。"

我们现在所读到的《法国大革命史》，正是卡莱尔重新写的版本。

情商启迪★

突如其来的意外和打击，可能会让你痛苦，甚至绝望。但当你能够接受这个现实，并坚强地重新开始时，你就已经在向新的成功迈进了。

为生命画一片树叶

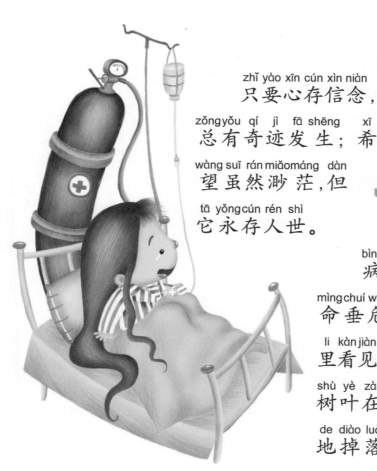

zhǐ yào xīn cún xìn niàn
只要心存信念，

zǒng yǒu qí jì fā shēng xī
总有奇迹发生；希

wàng suī rán miǎo máng dàn
望虽然渺茫，但

tā yǒng cún rén shì
它永存人世。

bìng fáng li yī gè shēng
病房里，一个生

mìng chuí wēi de bìng rén cóng fáng jiān
命垂危的病人从房间

li kàn jiàn chuāng wài yǒu yī kē shù
里看见窗外有一棵树，

shù yè zài qiū fēng zhōng yī piàn piàn
树叶在秋风中一片片

de diào luò xia lai jiù xiàng yǎn
地掉落下来。就像眼

qián de xiāo xiāo luò yè   tā de shēn tǐ měi kuàng yù
前的萧萧落叶，她的身体每况愈

xià   yī tiān bù rú yī tiān   tā shuō   dāng shù
下，一天不如一天。她说："当树

yè quán bù diào guāng shí   wǒ yě jiù yào sǐ le
叶全部掉光时，我也就要死了。"

yī wèi lǎo huà jiā dé zhī hòu   yòng cǎi bǐ huà
一位老画家得知后，用彩笔画

le yī piàn yè mài qīng cuì de shù yè guà zài shù zhī shang
了一片叶脉青翠的树叶挂在树枝上。

bù jiǔ   suǒ yǒu de shù yè dōu luò xia le   zhǐ yǒu zhè zuì hòu yī piàn yè
不久，所有的树叶都落下了，只有这最后一片叶

zi shǐ zhōng yī fù zài shù zhī shang   jí shǐ kuáng fēng bào yǔ yě bù néng shǐ tā
子始终依附在树枝上，即使狂风暴雨也不能使它

dòng yáo   wàng zhe zhè piàn wán qiáng de yè zi   chuí wēi de bìng rén méng shēng le
动摇。望着这片顽强的叶子，垂危的病人萌生了

huó xia qu de xìn niàn   zuì zhōng jìng rán qí jì bān de huī fù le jiàn kāng
活下去的信念，最终竟然奇迹般地恢复了健康。

情商启迪 ★

人生可以没有很多东西，却唯独不能没有希望。希望是人们生活中一项重要的动力。有希望之处，生命就生生不息！小朋友，现在你相信信念的力量了吧。

我也是第一

市里举办了一次很受重视的马拉松比赛，许多有实力的运动员都参加了，这些运动员都是从各处选拔出来的高手。大家摩拳擦掌，跃跃欲试。然而，这次比赛最后获奖的名额只有三个，因此，可以预料到，竞争会格外激烈。

发令枪打响了，运动员们箭一般地冲了出去。5公里……10公里……15公里……大家都在努力地跑着。到了25公里的地方，开始有体力不支的运动员掉队和退出。到了40公里的地方，只剩下最有实力的4个运动员彼此咬住了，而赛前很被大家看好的一名运动员不负期望，排在第一的位置。此时，观众们都激动地挤到了跑道两侧，因为他们知道，谁胜谁负，最后的两公里很关键。

就要冲线了。令人意外的是，那位很被大家看好的运动员似乎用尽了力气，竟然慢慢地落到了后面。尽管他很努力地追赶，可仍然以两步之差第四个冲线，与奖杯失之交臂。

他受到了远比其他落败选手更多的责难。

"真是功亏一篑！竟然跑了个第四，

这和倒数第一有什么区别？"

"就差那么一点儿就能得奖了，就不能再使一把劲吗？"

"太糟糕了，真是辜负我们的期望！"

面对着众人此起彼伏的责难，那位运动员并没有生气，也没有难过。他只是泰然自若地说："没关系，我已经尽力了。虽然没有得奖，但是在所有没得奖的选手中，我是名列第一的。"

是的，即使输在了离成功只有一步之遥的地方，只要我们尽力了，我们就依然是生活的强者，依然要乐观地笑对明天的阳光。

情商启迪 ★

即使失败也不要气馁。要知道，只有赢得起也输得起的人，才能取得更大的成就。小朋友们，你们在遇到挫折和失败时，能不能像这个得了第四名的人一样，乐观地面对呢？

五万次试验

　　每年的2月11日，是美国发明家爱迪生的诞生纪念日。他一生有近两千项的发明，很多人都说他是天才。而爱迪生说："所谓天才，那是假话，艰苦的工作才是实在的。"如果你知道了爱迪生发明蓄电池的故事，就能体会他这句话的含义了。

　　为了把容易腐蚀的铅硫酸电池，改造成抗腐蚀的蓄电池，他整整奋斗了十年，试验了差不多五万次。其间一天，一位朋友来看他，见满桌子都是试验用的小电池，又听说他已经失败了九千次，就说：

“你做了这么多的试验，有什么结果呢？”爱迪生一听，笑着说：“当然有结果了，现在我知道了有好几千样材料是不能用的。”

爱迪生终于试验出了镍铁碱蓄电池。但是，没过多久，他就发现这种电池有漏电的缺点，于是他马上把生产这种电池的工厂关掉，继续试验。又经过五年，他终于发明了比较理想的镍铁碱蓄电池。

情商启迪★

爱迪生的一生都在与困难做着斗争，他发明的每一样产品，无不是经历了几十次上百次，甚至是上万次的失败才获得成功的，但他从没有因为失败而丧失继续试验的信心。所以说，失败是成功之母。小朋友懂这一点吗？

小锤敲动大铁球

　　有一位著名的推销大师被邀请做一场演说。这天，会场上座无虚席，人们热切等待着。幕布徐徐拉开，舞台的正中央吊着一个巨大的铁球。一位老者在热烈的掌声中走了出来，站在铁球架子的一边。

　　这时，两位工作人员抬来一把大铁锤，主持人邀请了两位身强力壮的观众到台上。推销大师请他们用铁锤去敲那个吊着的铁球，直到把它荡起来。

两个年轻人抡起大锤奋力向铁球砸去，一声震

耳的响声后，铁球纹丝不动。他们用大铁锤接二连

三地砸向铁球，很快就气喘吁吁，而铁球还是不动。

全场寂静无声，观众们好像认定那是没用的，

就等着老人有什么解释。

这时，推销大师从口袋中掏出一把小锤，然后

开始认真地对着那个巨大的铁球敲打。在

人们惊奇的注视下，10 分钟过去

了，20 分钟过去了，

30 分钟过去

了，会场开始

骚动，人们用

各种声音和动

作发泄着自己的不满，

而老者依然用小锤不停地敲，仿佛根本没有看见人们的反应。许多人愤然离去，会场上到处是空着的座位。

40分钟过去了，坐在前排的人突然叫道："球动了！"顿时，全场又变得鸦雀无声。

在大师一小锤一小锤的敲打下，这个铁球荡的幅度越来越大，它拉动着那个铁架子"咣咣"作响，强烈地震撼着在场的每一个人。终于，场上爆发出一阵阵热烈的掌声。在掌声中，老人转向观众，慢慢地把小锤揣回口袋里……

情商启迪 ★

坚持做一件事情很难，不安于最初的收效甚微，往往容易动摇我们的信念。这时我们需要给自己打气，告诉自己不要放弃，持之以恒，很多看起来不可能的事情，就是在这样一种坚持中变成可能的。

小和尚扫树叶

yǒu gè xiǎo hé shang měi tiān zǎo shang fù zé
有个小和尚，每天早上负责

qīng sǎo sì miào yuàn zi li de luò yè qīng chén qǐ
清扫寺庙院子里的落叶。清晨起

chuáng sǎo luò yè shí zài shì yī jiàn kǔ chāi shi yóu qí zài
床扫落叶实在是一件苦差事，尤其在

qiū dōng zhī jì měi yī cì qǐ fēng shí shù yè zǒng suí fēng
秋冬之际，每一次起风时，树叶总随风

fēi wǔ luò xia tā yī zhí xiǎng yào zhǎo gè hǎo bàn fǎ
飞舞落下。他一直想要找个好办法

ràng zì jǐ qīng sōng xiē
让自己轻松些。

hòu lái yǒu gè hé shang gēn tā
后来有个和尚跟他

shuō nǐ zài míng tiān dǎ sǎo zhī qián
说："你在明天打扫之前

xiān yòng lì yáo shù bǎ luò yè tōng tōng
先用力摇树，把落叶通通

摇下来，后天就可以不用扫落叶了。"

小和尚觉得这是个好办法，于是第二天他起了个大早，使劲地猛摇树，以为这样他就可以把今天跟明天的落叶一次扫干净了。一整天小和尚都非常开心。

第二天，小和尚到院子一看，不禁傻眼了：院子里如往日一样还是落叶满地。

老和尚走了过来，对小和尚说："傻孩子，无论你今天怎么努力，明天的落叶还是会飘下来。"

小和尚终于明白了，世上有很多事是无法提前的，唯有认真地对待现在，才是最可取的人生态度。

情商启迪 ★

许多人一想到明天的烦恼，就想要提前一步把它解决掉。其实明天如果有烦恼，你今天是无法解决的。每一天都有每一天的人生功课要交，努力做好今天的功课再说吧！

雪 松

jiā ná dà kuí běi kè yǒu yī tiáo nán běi
加拿大魁北克有一条南北

zǒu xiàng de shān gǔ　shān gǔ méi yǒu shén me
走向的山谷。山谷没有什么

tè bié zhī chù　wéi yī néng yǐn rén zhù yì de shì tā de xī pō zhǎngmǎnsōng
特别之处，唯一能引人注意的是它的西坡长满松、

bǎi děngshù　ér dōng pō què zhǐ yǒu xuěsōng　zhè yī qí yì zhī mí　xǔ duō
柏等树，而东坡却只有雪松。这一奇异之谜，许多

rén bù zhī suǒ yǐ　zhí dào　nián cái bèi yī duì fū fù jiē kāi
人不知所以，直到1993年才被一对夫妇揭开。

niándōngtiān　zhè duì fū fù lái dàoshān gǔ　dāng shí tiānzhèng xià
1993年冬天，这对夫妇来到山谷。当时天正下

zhe dà xuě　yú shì　tā men zhī qi zhàngpeng　wàngzhemàntiān fēi wǔ de dà
着大雪，于是，他们支起帐篷。望着漫天飞舞的大

xuě　tā men fā xiàn yóu yú tè shū de fēngxiàng　dōng pō de xuězǒng bǐ xī pō
雪，他们发现由于特殊的风向，东坡的雪总比西坡

de dà qiě mì
的大且密。

不一会儿，雪松上就落了厚厚的一层雪。不过当雪积到一定程度，雪松那富有弹性的枝丫就会向下弯曲，直到雪从枝上滑落。这样反复地积，反复地弯，反复地落，雪松始终保持完好。妻子发现了这一现象，就对丈夫说："东坡肯定也长过别的树，只是因为不会弯曲才被大雪摧毁了。"

情商启迪★

弯曲并不是低头或失败，而是为了站起来的时候更有力。弯曲，是一种弹性的生存方式，是一种生活的艺术。生活中我们承受着来自各方面的压力，它们积累起来终将让我们难以承受。这时候，我们需要像雪松那样弯下身来，释放压力，才会获得新的活力。

阴影是条纸龙

人生中，经常有无数来自外部的打击，但这些打击究竟会对你产生怎样的影响，最终的决定权在你手中。

祖父用纸给小孙子做了一条长龙。长龙的腹腔中有一段空隙。孙子把几只蝗虫投放进去，想让它们

zài lǐ miàn ān jiā luò hù jié guǒ tā men dōu
在里面安家落户。结果，它们都

sǐ zài le lǐ miàn wú yī xìngmiǎn
死在了里面，无一幸免！

zǔ fù shuō huáng chóng xìng zi tài zào chú le
祖父说："蝗虫性子太躁，除了

zhēng zhá tā men méi xiǎng guo yòng zuǐ ba qù yǎo pò chánglóng
挣扎，它们没想过用嘴巴去咬破长龙，

yě bù zhī dào yī zhí xiàngqián kě yǐ cóng lìng yī duān pá chu lai yīn ér jǐn
也不知道一直向前可以从另一端爬出来。因而，尽

guǎn tā menyǒu tiě qiánbān de zuǐ hé jù chǐ yī bān de dà tuǐ yě wú jì yú shì
管它们有铁钳般的嘴和锯齿一般的大腿，也无济于事。"

dāng zǔ fù bǎ jǐ zhī tóngyàng dà xiǎo de qīngchóngcónglóng tóu fàng jin qu
当祖父把几只同样大小的青虫从龙头放进去，

rán hòuguān shanglóng tóu qí jì chū xiàn le jǐn jǐn jǐ fēn zhōng xiǎoqīngchóng
然后关上龙头，奇迹出现了：仅仅几分钟，小青虫

men jiù yī yī de cónglóng wěi pá le chū lái
们就一一地从龙尾爬了出来。

![情商启迪★]

命运一直藏匿在我们的思想里。许多人走不出人生各个不同阶段或大
或小的阴影，并非因为他们天生的个人条件比别人要差多远，而是因为他
们没有想过要将阴影"纸龙"咬破，也没有耐心找准正确的方向、勇往直
前。小朋友，当你遇到挫折时，有没有耐心去克服呢？

支撑生命的歌声

在 1920 年 10 月一个
漆黑的夜晚，英国的布里
斯托尔湾的洋面上，一艘小汽
船与一艘比它大十多倍的轮船相撞后沉没。

艾利森国际保险公司的督察官弗郎哥·马金纳
从下沉的船身中被抛了出来，他在黑色的波浪中
挣扎着。救生船迟迟没有到来，他觉得自己已经
气息奄奄了。

渐渐地，附近的呼救声、哭喊声低了下来，四

周也沉寂起来。就在这令人毛骨悚然的寂静中，突然传来了一阵优美的女孩儿的歌声。虽然很冷，但歌曲丝毫没有走调，而且也不带一点儿颤抖。

马金纳听得入了神，寒冷、疲劳刹那间不知飞到了何处，他的心完全复苏了。他循着歌声，朝那个方向游去。靠近一看，几个女人正抱着一根大圆木头，唱歌的是个年轻的姑娘。为了让其他人不致因寒冷失去神志，而放开那根圆木头，她用自己的歌声给大家增添着精神力量。

就像马金纳借助姑娘的歌声游靠过去一样，救生艇也穿过黑暗行驶过来，救了所有人。

情商启迪 ★

面对危险和困境，有的人可能垂头丧气，而有的人却可以把恐惧和烦恼暂时放在一边，唱一支动听的歌，放松了自己，也鼓舞了别人。

化解危机 篇

生活和学习中，常会遇到这样那样的困境不知如何面对。

其实，很多时候只需要一点灵感、一句幽默的回答，就能缓解紧张、摆脱困境。

来读读这些故事吧，看看里面的人物是怎样找到解决危机的办法的。

被拿走的衣服

森林里，熊妈妈凭借自己的手艺开了一家服装店，可是由于店铺新开业，大家都对熊妈妈的手艺不了解，所以没有人来找熊妈妈做衣服。为了使店铺的生意好起来，熊妈妈想出了一条妙计。

第二天，由熊妈妈精心设计和制作的一件件崭新的上衣，被悬挂在小河边的大树上，任由来河边打水的动物们拿走。当衣服被拿走后，原来挂衣服的地方就会出现一张海报，上面是那件衣服的照片，旁边还写着："我已被取走了，若你喜欢我的款式，

nà jiù kuài dào xióng mā ma de diàn pù dìng zuò ba
那就快到熊妈妈的店铺定做吧！"

jiù zhè yàng xióng mā ma féng zhì de
就这样，熊妈妈缝制的

yī fu dōu bèi dòng wù men qǔ zǒu le
衣服都被动物们取走了。

yǒu de dòng wù bèi hǎi bào shang
有的动物被海报上

de yī fu yàng shì xī yǐn dào
的衣服样式吸引到

diàn pù cān guān hé xuǎn gòu
店铺参观和选购。

ér nà xiē ná zǒu yī fu de
而那些拿走衣服的

dòng wù men duì xióng mā ma de féng zhì shǒu yì gèng shì zàn bù jué kǒu cháng cháng
动物们对熊妈妈的缝制手艺更是赞不绝口，常常

lái xióng mā ma de diàn pù zuò yī fu   jīng guò zhè cì huó dòng   xióng mā ma fú
来熊妈妈的店铺做衣服。经过这次活动，熊妈妈服

zhuāng diàn de shēng yi yuè lái yuè hónghuo
装店的生意越来越红火。

情商启迪★

　　小朋友，熊妈妈的宣传办法是不是很棒啊？她遇到问题时，并没有气馁退缩，而是积极地寻找解决办法。表面上看好像是熊妈妈吃了亏，做好的衣服都被别人白白取走了，但是这个办法不仅宣传了她设计和缝制衣服的本领，更使得服装店的生意兴隆，可谓是一举两得呀！

聪明的妞妞

有一天，妞妞和小伙伴乔乔到森林里去摘草莓。走着走着，突然从树丛中蹿出一只大灰狼。它一把就抓住了可怜的乔乔，张开大嘴，准备把他吃掉。乔乔害怕得浑身发抖，已经无法动弹了！

聪明的妞妞并没有被大灰狼吓倒，而是急中生智，想出了一个救人的办法。

妞妞一脸崇拜地对大灰狼说："亲爱的狼先生，您是森林里最厉害的动物。能被您吃掉，我们感到十分荣幸。"

tīng dào zhè jù huà　　dà huī láng gāo xìng jí le　　biàn duì niū niū fàng sōng
听到这句话，大灰狼高兴极了，便对妞妞放松

le jǐng tì
了警惕。

niū niū jì xù shuō dào　　　bù guò　　qiáo qiáo kě bù hǎo chī a　　tā de
妞妞继续说道："不过，乔乔可不好吃啊！他的

ròu yòu chòu yòu suān　　bié yǐng xiǎng le nín de wèi kǒu　　yào
肉又臭又酸，别影响了您的胃口。要

bù　　nín hái shi xiān chī wǒ ba
不，您还是先吃我吧！"

tīng wán niū niū de huà　　dà
听完妞妞的话，大

huī láng xīn xiǎng　　yī gè xiǎo
灰狼心想，一个小

nǚ hái er néng shuǎ shén
女孩儿能耍什

me huā yàng ne　　kàn
么花样呢，看

tā xì pí nèn ròu de
她细皮嫩肉的

yàng zi yī dìng fēi
样子一定非

cháng hǎo chī　　wǒ
常好吃，我

jiù xiān chī tā ba
就先吃她吧！

yú shì　　dà huī láng
于是，大灰狼

213

放下了乔乔，又抓住了妞妞，馋得口水都流出来了。

这时，妞妞又不慌不忙地说："亲爱的狼先生，我非常高兴被您吃，可是我已经三个月没洗澡了，身上全是细菌，您吃了我会肚子疼的。这样吧，不远处有条河，我先去洗个澡，等洗干净了您再吃我，好吗？"

大灰狼心想，妞妞说的话有道理，便与妞妞来到了小河边。

妞妞"扑通"一声跳下了河，拼命地向河对岸游去。一上岸，妞妞便大笑起来，对大灰狼说："你这只又笨又蠢的大灰狼，你上当了！有本事你来抓我啊！"

大灰狼这才知道自己上了当，可是它不会游泳，只能眼睁睁地看着妞妞从自己的掌心溜掉，它气得直跺脚，喊道："气死我了！你给我等着！我先去吃他，回来再收拾你！"

等大灰狼回树林里找乔乔时，乔乔早已经跑得无影无踪了。大灰狼只好空着肚子，垂头丧气地回家了。

情商启迪 ★

妞妞是个聪明的孩子，在遇到危机时，她没有慌乱，反而计上心头，不仅救了乔乔的性命，还教训了可恶的大灰狼。妞妞的聪明之处在于，她利用了大灰狼的弱点——不会游泳。而大灰狼却没有想到，妞妞可是游泳高手呢！

充气地球仪

吃过午饭后，二年级三班的轩轩便早早来到了学校，原来，下午第一节是他最喜欢的地理课。今天，老师要讲解世界地理。

上课铃一响，地理老师便捧着一摞作业本和一个地球仪走进教室。老师怀里的东西太多了，以至于一不小心把地球仪掉到了地上。真是糟糕，地球仪摔坏了！于是，老师不得不拿出备用的地图挂在黑板上。

虽然地图拿取方便，但是它却不具备地球仪的立体感，不容易看懂。怎样才能将地球仪和地图的优

diǎn jí yú yī shēn ne
点 集 于 一 身 呢 ？

xuānxuān zhěng gè xià wǔ dōu zài
轩 轩 整 个 下 午 都 在

sī kǎo zhè ge wèn tí tū rán tā líng jī yī dòng
思 考 这 个 问 题 ， 突 然 ， 他 灵 机 一 动 ，

cóng ér tóng qì sù wán jù shang dé dào
从 儿 童 气 塑 玩 具 上 得 到

le qǐ fā xiǎng zhì zuò yī
了 启 发 ， 想 制 作 一

zhǒng chōng qì dì qiú yí shǐ
种 充 气 地 球 仪 ， 使

yòng shí jiù chuī chéng qiú zhuàng
用 时 就 吹 成 球 状 ，

bù yòng shí jiù bǎ tā yā biǎn
不 用 时 就 把 它 压 扁 ，

shí fēn fāngbiàn zhè ge bàn fǎ shòu dào lǎo shī men de huānyíng dì lǐ lǎo shī
十 分 方 便 。 这 个 办 法 受 到 老 师 们 的 欢 迎 ， 地 理 老 师

zài yě bù yòng dài zhe bènzhòng de dì qiú yí lái huí pǎo le
再 也 不 用 带 着 笨 重 的 地 球 仪 来 回 跑 了 。

情商启迪

轩轩的创意灵感来自一件看似完全无关的事情上。灵感往往是细微的，不易察觉的，要是不加留意可能就错过了。小朋友，生活中如果你也能专注一点一滴，不放过任何细节，说不定就会有巧妙的创意产生呢！

出气中心

斑马先生今天真倒霉，因为不小心打碎了一个花瓶，他被虎大王痛骂了一顿！斑马先生越想越生气，但又无处发泄，只能闷在心里。

这时，梅花鹿小姐走了过来，看着斑马先生阴沉的脸色，便上前询问缘由。斑马先生无奈地把事情的经过讲了一遍。

"虎大王的脾气太糟糕了，"

梅花鹿小姐劝慰道，"很多小动物都受过这样的待遇！"

斑马先生沮丧地摇摇头，说："真想找个地方发泄一下心中的怨气！"

说完，斑马先生转身离开。看着他的背影，梅花鹿小姐心中一直琢磨着斑马先生刚才所说的话。

是啊！生活中总会遇到各种各样的苦恼和不顺心的事情，如果有个可以发泄心中怨气的地方该多好啊！想到这里，梅花鹿小姐灵光一闪，脑子里冒出了一个大胆的创意：为什么不开一家"出气中心"呢？

不久，梅花鹿小姐的出气中心便开始营业了。来这里的顾客分为三种。

对于那些脾气暴躁的顾客，梅花鹿小姐会把他们带进一间特殊的房间，让他们关起门，任由他们把室内摆设砸个稀烂，直到觉得闷气出尽，得到满足为止。

对于那些预约来的顾

客，梅花鹿小姐便把他们带进准备好的房间——按他们要求事先摆上"对手"的模型。面对房间里的"对手"，他们可以破口大骂，可以拳打脚踢，直到出够了气才离开。

对于那些只想找一个安静的场所、向人诉说自己怨气的顾客，梅花鹿小姐便会同他们聊天，让他们痛痛快快地把怨气全倒出来，一身轻松地离去。

出气中心一开业，便受到森林里很多动物的欢迎，每天都会有许多顾客光临，生意格外兴隆。

情商启迪

梅花鹿小姐开设"出气中心"的想法真是不错，每个人在生活中都会遇到不如意的事情，而出气中心便能帮助大家驱散心中积聚已久的闷气，消除对健康有害的不良情绪，所以自然大受欢迎。

"出租"仆人

在森林的集市上，有一家"盈盈"理发店，这里的老板是一只聪明的金丝猴。金丝猴的理发店自从开业后，便生意兴隆，门庭若市。

而集市上的其他理发店生意就越来越惨淡，这是为什么呢？

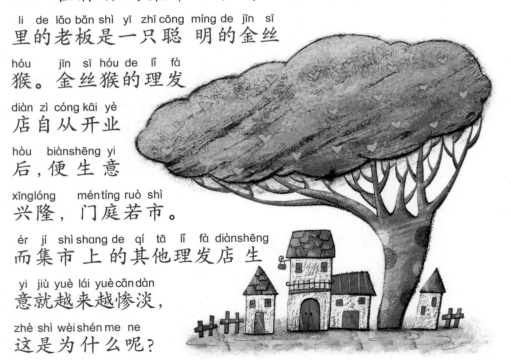

原来，金丝猴的理发店是靠"出租"仆人来招揽顾客的。而这个新颖的创意，便源于发生在理发店里的一个小故事。

一天午后，突然下起了倾盆大雨。这时，小花猫到店里理发，可头发刚理了一半，小花猫的手机就响了，是老虎国王让他把一份请柬赶紧送到狼大臣的家里。这下可把小花猫急坏了！外面正在下着大雨，并且自己的头发刚理了一半，这可怎么办啊！小花猫左右为难，思考再三，最后还是决定放弃理发，冒着大雨赶去送请柬。结果，小花猫在狼大臣的家里出尽了洋相。但这件事情却提醒了金丝猴老板，于是，一个新的服务项目很快在"盈盈"理发店诞生了。金丝猴老板雇佣了斑马先生，如果客人在理发的时候突然有急事要办，那么斑马先生就可以为之

代劳，送货、送信既快又安全。

这项服务一推出，便吸引了森林里所有的动物，使他们觉得来这里理发不仅理发技术好，而且还不用担心有棘手的问题要解决，真是两全其美啊！从此，金丝猴老板依靠这项特色服务，使得理发店的生意越来越好。

情商启迪 ★

这真是一个新颖的创意！金丝猴老板的灵机一动，便解决了客人们的后顾之忧，而且还使自己的理发店成为集市上最受欢迎的一家。小朋友，如果你也能经常动脑筋思考，想出巧妙的小创意，那么你的生活和学习就会变得更加丰富多彩。

丑陋的小狗

春天到了，唐爷爷家的爱犬欢欢生下了八只可爱的小狗。几只小狗的眼睛长得又黑又大，非常惹人喜爱。不过，唐爷爷年纪大了，无法饲养这么多的小狗，所以，他决定把这些新生的小狗送给别人照顾。

于是，唐爷爷在小区的宣传亭里张贴了一条广告：本人有八只漂亮的小狗，活泼可爱，愿意无偿送给爱狗的家庭饲养。

然而一个月过去了，唐爷爷只送出去了一只小狗。这可怎么办啊？看着家里这么多的小狗，唐爷爷

fā qǐ chóu lai
发起愁来。

　　zhè tiān　　lín jū wáng qí cóng wài miàn huí lai　　kàn dào yī liǎn chóuróng de
　　这天，邻居王齐从外面回来，看到一脸愁容的

táng yé ye　　zǒu shàngqián xún wèn　　yú shì　　táng yé ye bǎ xiǎo gǒu de shì qing
唐爷爷，走上前询问。于是，唐爷爷把小狗的事情

gào su le wáng qí　　wáng qí xiǎng le xiǎng　　biàn xiōngyǒuchéng zhú de shuō　　táng
告诉了王齐。王齐想了想，便胸有成竹地说："唐

yé ye　　nín fàng xīn ba　　wǒ yǒu bàn fǎ　　wǒ zài qù xiě yī zhāng xīn guǎnggào
爷爷，您放心吧，我有办法，我再去写一张新广告。"

　　hòu lái　　wáng qí yòu zài xuānchuán tíng li zhāng tiē le yī tiáo guǎng gào
　　后来，王齐又在宣传亭里张贴了一条广告：

běn rén yǒu liù zhī fēi chángpiàoliang de xiǎo gǒu hé yī zhī fēi chángchǒu lòu de xiǎo
本人有六只非常漂亮的小狗和一只非常丑陋的小

狗，愿意无偿 送给爱狗的家庭饲养。

唐爷爷看了王齐贴的广告，不禁纳闷：这样写，应该还是送不出去吧，尤其是"丑陋的小狗"。

出乎意料的是，广告一贴出来，唐爷爷家的电话铃就响个不停，大家都来向唐爷爷要那只"丑陋"的小狗。就这样，不到三天，唐爷爷就把所有剩下的"丑陋"的小狗都送走了。

情商启迪★

第一则广告之所以失败，是因为人们对"漂亮"、"可爱"这类词语已经厌倦了，很容易产生一种逆反心理。反倒是"丑陋"的小狗对他们产生了一种吸引力，能够迎合人们猎奇的心理，又能唤起人们的同情心，所以唐爷爷才能很快把剩下的七只小狗都送走。

第一件雨衣

小朋友，你喜欢下雨吗？无论是撑着你的小雨伞，还是穿上你的小雨衣，都可以尽情地在雨中嬉戏穿梭。不过，这时你是否会想到这样一个问题："这件像衣服一样，可以防水的雨衣是谁发明的呢？又是如何

发明出来的呢？"

现在就由我来告诉

你吧！

18世纪，在苏格兰的一家橡

胶厂有个名叫麦金托什的

工人。因为生活

艰难，麦金托什没

有钱去购买雨伞，于

是，每当遇到下雨的天气，

他只能冒雨上下班，等到

了工厂里，全身已经被雨水淋得湿透了，遭到其他

工人的嘲笑。但麦金托什并没有因此而沮丧。

一天，麦金托什不小心把橡胶汁洒在了衣服上，

弄得满身都是，怎么也擦不掉。他只好穿着这身脏

衣服回家。这时，天空又下起大雨，麦金托什跑回家后却惊喜地发现，穿在里面的衣服一点儿也没有被淋湿，这真是太奇怪了！

于是，麦金托什开始研究起身上的橡胶汁。原来这次没被淋湿都是橡胶汁的功劳！麦金托什便索性将橡胶汁涂满全身的衣服。自此，每逢下雨即使麦金托什没有雨伞，也不会被雨水淋湿，而这个好办法也在工人之间传开了。

这就是世界上第一件胶布雨衣。

情商启迪 ★

橡胶汁洒在衣服上，是橡胶厂工人都可能遇到的问题，但是其他工人都忽略了这个小细节，只是觉得橡胶汁弄脏了工作服，却没有发现它具有防水的功能。而麦金托什从细节中发现了惊喜，将橡胶汁与防雨联系在了一起！凭借着麦金托什的小发明，才有了今天的雨衣，为人们在雨天出行提供了便利。